Série Harmonie

JENNIFER WEST

Le rêve de Lauren

Les livres que votre cœur attend

Titre original : *A Season of Rainbows* (10)

Originally published by SILHOUETTE BOOKS
a Simon & Schuster division of Gulf
& Western Corporation, New York

Traduction française de : Dominique Minot

27, rue Cassette, 75006 Paris

Chapitre 1

Lauren Leslie Taylor réussit à insérer sa grande Porsche jaune décapotable entre une grosse Mercedes et une Rolls.

Pour ne pas changer, le boulevard Santa Monica était embouteillé. Depuis son arrivée à Los Angeles, Lauren n'avait pas réussi à trouver un seul moment où les couloirs réservés à la circulation soient libres. C'était terriblement contrariant, surtout aujourd'hui où elle devait se rendre rapidement à un rendez-vous.

Une mèche de cheveux échappée de son chignon balaya sa joue. Elle avait une chevelure d'un noir de jais qui contrastait avec le bijou de perles dont elle avait orné son élégante mise en plis. De type mal défini, on s'accordait généralement à lui reconnaître des traits peu en accord avec sa vraie nationalité : ainsi, ses yeux d'un bleu myosotis étaient, au dire de certains, tout à fait irlandais tandis que le noir corbeau de ses cheveux était attribué à une hérédité extrême-orientale. Quant à ses pommettes hautes, elles ne pouvaient être que d'origine scandinave et l'ovale délicat de son visage, incontestablement français... parisien même, c'était sûr!

Ces considérations, faites par ses clients internationaux auxquels elle proposait des toiles de maîtres, l'amusaient; un jour, elle avait déclaré sans rire à un Hongrois qui l'exaspérait qu'elle n'était pas du tout une Magyare mais... une salamandre!

Jetant un coup d'œil à sa montre où brillait un cercle de petits diamants qui tenaient lieu de chiffres, elle s'aperçut qu'il était deux heures. La panique s'empara d'elle. Elle allait être en retard à son rendez-vous avec l'homme le plus riche d'Amérique! C'était l'horreur.

La veille elle avait rencontré ses banquiers : séance lugubre. Elle était à découvert au moment le plus crucial de son existence et aucune décision n'avait été prise pour prolonger ses facilités de crédit.

Une Ferrari noire se maintint un moment à sa hauteur : la tête du conducteur lui parut familière... Mais oui! C'était la vedette d'une série stupide à la télévision. Venu du Middle West un an auparavant, il avait été révélé au public par un film publicitaire où il paraissait déguisé en coq, apportant un télégramme à son futur producteur...!

Lauren savait heureusement que la Cité des Anges était pleine de ce genre de fictions absurdes; moins qu'un lieu géographique, la ville avait toujours été le siège d'un certain état d'esprit, de certains rêves dont quelques-uns se révélaient extraordinairement bons tandis que d'autres tournaient au cauchemar; ils pouvaient briser un homme et l'anéantir jusqu'à l'âme. Elle frissonna, repoussant l'idée que peut-être ses propres rêves étaient voués à l'échec. Hélas, si c'était le cas, onze ans de sa vie auraient été sacrifiés en pure perte. La lutte qu'elle avait menée, les efforts surhumains qu'elle avait faits pour réunir le savoir nécessaire à la réussite dans le domaine des arts, l'argent amassé petit à petit puis dépensé à bon escient, tout cela n'aurait servi à rien.

Elle ne voulait même pas penser au mal que lui

avait donné sa carrière : elle lui avait tout sacrifié : à vingt-neuf ans, elle n'avait ni mari, ni enfants, ni vrai foyer. Parfois, durant ses nuits solitaires, elle ressentait durement cet état et le doute s'insinuait en elle.

Tout ce qu'elle avait accompli, tout ce qu'elle avait été durant les années écoulées avaient eu pour seul objectif ce bref instant de la semaine passée où elle avait apposé sa signature au bas du contrat qui faisait d'elle la locataire d'une des plus belles galeries de tableaux de Los Angeles. Elle était donc parvenue à la force du poignet devant les grilles du succès. Si elle échouait maintenant pour de sombres questions d'argent, elle n'aurait pas de seconde chance : les ratés n'ont jamais une nouvelle occasion de pénétrer dans ce monde très particulier qu'elle approchait enfin.

La file de voitures avançait avec une lenteur mortelle. Encore un feu rouge! Un jeune homme se précipita au milieu des véhicules, proposant des bouquets de roses à quatre dollars. Le feu passa au vert... Il sauta sur le trottoir sans avoir rien vendu. La colère et le désespoir emplissaient son regard tandis que défilaient les automobiles de luxe. Lauren adressa au ciel une prière pour que le pauvre homme connaisse des jours meilleurs et elle fit le même vœu pour elle. Car la cité où s'accomplissait son destin attirait à la fois les fous et les génies, et la ligne qui séparait les deux catégories était très mince! Mais appartenir à cette ville, c'était en accepter les fantaisies redoutables. Faisait-elle partie des fous? Peut-être. Elle était la première à reconnaître qu'il fallait avoir perdu le sens commun pour risquer sa carrière sur un coup de dés d'un demi-milliard de dollars. C'était la valeur réelle de cette galerie que la presse désignait déjà comme l'endroit le plus huppé jamais vu sur la côte Ouest.

Aurait-elle l'audace de s'enorgueillir des récents articles parus sur elle dans le *Time Magazine*? On y lisait que Lauren Leslie Taylor, vingt-neuf ans, une beauté à la chevelure d'ébène, était aussi douée pour les affaires que les plus grands génies de Wall Street, qu'elle avait le goût infaillible d'un doge de Venise, etc.

Qui fallait-il croire?

Crois en toi, Lauren, se dit-elle.

Elle prit une profonde inspiration. L'air ambiant semblait vibrer d'énergie, comme si les gens bougeaient au rythme sensuel d'une musique intérieure dont chaque mesure était gonflée de promesses. Où qu'elle portât le regard, ses sens étaient éblouis par une beauté omniprésente, un luxe ostentatoire qui donnait constamment l'impression d'une vie en pleine maturité.

Maîtrise tout cela, sers-t'en et aime-le, sinon ta vie ne vaudra pas la peine d'être vécue.

Elle fut de nouveau arrêtée par un feu rouge. Devant elle se profilait la masse de Century City où allait se tenir le rendez-vous peut-être le plus important de son existence.

Le ciel au-dessus des immenses bâtiments avait la sérénité bleue des horizons de Van Gogh. Seule, une vilaine couche brune teintait la toile mouvante du firmament et le brouillard restait suspendu au-dessus d'un paysage qui, autrement, eût été un vrai paradis.

Son paradis, si telle était la volonté de Dieu!

Elle regarda le beau soleil de mai... S'il vous plaît, supplia-t-elle avec ferveur, regrettant de n'avoir pas la naïveté des anciens Egyptiens adorateurs du dieu caché derrière la boule de feu, s'il vous plaît, faites un miracle : que les voitures avancent!

Aussitôt il y eut une accélération dans le trafic. La Porsche jaune bondit en avant, le dieu soleil se reflétant gaiement sur ses chromes et ses vitres. Lauren était en route pour voir Pharaon!

Elle gara sa voiture dans l'une des avenues de Century City. C'est là que sont regroupés, dans un vaste paysage vert émeraude, tous les bâtiments abritant les sociétés les plus dynamiques de la région. Si votre bureau se trouve situé au numéro un de l'avenue des Etoiles, c'est que vous êtes riche et sans doute également très connu. Or c'est justement devant la porte du premier bâtiment que Lauren s'était arrêtée.

Après avoir sacrifié aux règles de la sécurité, on la conduisit vers l'ascenseur privé qui l'amena en quelques secondes au dernier étage, royaume de Phillip Whelen Lloyd sur la côte Ouest. Les portes s'ouvrirent et elle pénétra dans une vaste salle d'attente dont les murs étaient recouverts de tableaux de maîtres : un Gainsborough sur l'un des panneaux en bois de rose, une peinture à l'huile d'un impressionniste allemand : Erich Hekel. Ces deux toiles retinrent l'attention de la jeune femme : aucun doute, c'était des originaux.

Une femme derrière une table en bois verni se leva et sourit à Lauren :

– M. Lloyd craignait que vous n'ayez eu des ennuis.

– Je ne suis pas encore habituée à la lenteur du trafic!

La femme se mit à rire.

– Il est vrai que nous ne mesurons pas les distances en kilomètres mais en minutes!

Elle conduisit Lauren dans la pièce voisine où l'on n'entendait rien d'autre que le bruit sourd de leurs talons sur l'épais tapis d'un vert d'eau lumineux.

– On vous attend, dit-elle avec un sourire chaleureux.

Cet accueil amical était un signe de bon augure, pensa Lauren. Dis-moi qui tu hantes, je te dirai qui tu es! Ce vieil adage la calma momentanément.

Une sonnerie téléphonique retentit et la femme poussa la double porte du fond. Lauren prit une profonde inspiration et entra dans la fosse aux lions.

Il y avait de la lumière partout. Les miroirs qui recouvraient les murs semblaient prolonger la pièce à l'infini. Un homme aux tempes grisonnantes, assis derrière un bureau de marbre, se leva dès qu'il la vit. Son regard bleu acier était souriant mais dissimulait mal une sagacité aiguë qui l'avait certainement aidé à asseoir son empire financier. Lauren lutta contre l'envie de faire une génuflexion devant lui : sa stature imposante paraissait exiger plus qu'un simple échange de sourires polis.

D'un bond athlétique qui le propulsa jusqu'à elle, un deuxième homme, plus jeune, quitta sa place, face au bureau de Lloyd.

– Ah! fit-il, voici notre retardataire! Mademoiselle Taylor, je suppose?

C'était le sénateur Riff McIntyre, toujours empressé et agité. Ses yeux noisette reflétaient la satisfaction qu'il éprouvait devant la robe de soie bleu marine que portait la jeune femme. Il attachait en effet une très grande importance à l'aspect extérieur des gens. Lauren dépista sur lui une vague odeur d'iode et devina qu'il n'avait que récemment quitté le port de Marina del Rey où tout le monde savait que son yacht était amarré. Il posa d'une manière désinvolte un bras sur les épaules de Lauren et se tourna vers Llyod :

– Les présentations officielles sont en règle, n'est-ce pas! De toute façon, vos réputations respectives vous ont précédés grâce, hélas, à une presse toujours trop vigilante!

Lauren nota le ton méprisant de la remarque et surtout son ironie, venant de la part d'un homme qui portait les journalistes aux nues et vénérait le pouvoir qu'ils représentaient. C'était d'ailleurs son expérience dans le maniement de cette arme efficace qui l'avait amené à la place qu'il occupait aujourd'hui. Un jour, songea Lauren, cette presse si décriée serait à nouveau utilisée par le clan McIntyre pour la campagne électorale en vue des élections à la présidence des Etats-Unis, poste que briguait le jeune sénateur.

– Toutes mes excuses, fit Lauren. Le trafic...

– Les personnes de qualité, comme tout ce qui est excellent, méritent d'être attendues, dit Llyod avec un sourire qui illumina littéralement la pièce.

– Je peux vous assurer que cette visite est un honneur pour moi, ajouta-t-elle.

– J'espère que vous serez toujours du même avis lorsque vous quitterez ces lieux. Je crains que les raisons qui m'ont fait vous choisir parmi tant d'autres ne soient éminemment égoïstes.

Lauren savait qu'il ne l'avait pas « choisie », mais se contenta de sourire de façon énigmatique. Elle prit place sur le siège que lui avança Riff. Lloyd décrocha le téléphone pour répondre à ce qui était manifestement un appel de l'étranger car la conversation eut lieu en français.

Lauren réfléchit à la situation : elle ne doutait pas d'être capable de faire face à toutes les exigences professionnelles que l'on pourrait formuler; elle avait confiance en sa valeur. Mais elle savait aussi que cette rencontre avait été machinée par Clarence McIntyre, père de Riff et patriarche de la puissante dynastie des McIntyre.

Ceux-ci s'intéressaient visiblement à sa personne et elle avait passé plus d'une nuit blanche à se ronger les ongles et à peser ses chances de réussite ou les risques d'échec de sa tentative. Elle imaginait facilement le clan McIntyre installé autour de la table de la grande salle à manger, à Shaker Heights, non loin de Cleveland. Sourcils froncés, mines patibulaires, chacun des membres de la famille aurait branché sur elle l'ordinateur de son esprit pour étudier froidement les résultats éventuels de leur entreprise. Il y aurait Madeline McIntyre, avec ses cheveux d'un gris métallique parfaitement coiffés, assise droite comme un I à l'une des extrémités de la table tandis qu'en face d'elle trônerait Clarence, grand Irlandais aux cheveux blancs et aux yeux noirs aussi perçants et alertes que ceux d'un jeune coq affamé. Les deux frères aînés de Riff, accompagnés de leurs épouses respectives, occuperaient les côtés de la table.

Lauren entendait Madeline dire :

– J'aurais été beaucoup plus tranquille si Riff avait jeté son dévolu sur quelqu'un de plus discret. Cette jeune femme a une façon un peu trop voyante à mon goût de s'attaquer aux conventions artistiques.

– Ecoutez, ma chère, aurait répondu Clarence, voilà six mois que nous en discutons... j'en ai la nausée. Notre décision est maintenant irrévocable : Mlle Taylor convient parfaitement. Alors, je vous en prie, ne remettons pas cette histoire sur le tapis. Nous créons l'événement.

– Ce que nous voulons, c'est qu'elle apporte une aura d'intellectualisme à l'image publique de Riff, et non...

– Ah! Que le diable emporte tous les ergoteurs de la côte Ouest, aurait rugi McIntyre au comble de l'exaspération, se remémorant sans doute les traits acérés que la presse de l'opposition avait décochés contre son fils.

Elle l'avait, en effet, représenté sous les traits d'une espèce de tennisman au teint bronzé et aux longues dents blanches, mais à l'air si bête qu'il était impossible de ne pas se poser des questions sur le niveau de son quotient intellectuel.

Devant cette violente sortie de son mari, Madeline aurait calmement rétorqué :

– Mon cher Clarence, nous avons décidé que Lauren Taylor était la femme idéale pour donner à notre enfant la dose de connaissances artistiques nécessaire à son image de marque. Mais, à ce moment-là, nous n'avions aucune idée de l'étendue de ses ambitions. Vous oubliez qu'elle a décidé d'ouvrir une galerie dans l'une des rues les plus chics et les plus coûteuses de la ville. Si elle échoue, Riff en subira les conséquences et la presse ne manquera pas de faire des gorges chaudes à nos dépens.

– Riff doit se faire remarquer à tout prix, aurait bougonné le vieux McIntyre.

– C'est ce qui arrivera, n'en doutez pas, en cas d'échec! Mais pas de la façon que vous souhaitez! Nous ne pouvons prendre un tel risque. Ce que va tenter cette jeune femme est dangereux.

– Pas du tout! C'est héroïque, au contraire. Cette femme a de l'envergure et Riff en profitera. Les électeurs lui reconnaîtront une dimension particulière et plus riche que celle des autres candidats. N'oubliez pas, ma chère, que nous cherchons à bâtir une légende. Il faut que Riff s'élève très haut au-dessus de la masse des médiocres.

– Alors, faisons ce qu'il faut pour assurer sa réussite.

– Avez-vous jamais vu un McIntyre essuyer un échec?

– Justement, il ne s'agit pas d'un McIntyre. Cette femme n'a aucun lien de parenté avec nous et nous n'avons pas barre sur elle puisqu'elle ne nous doit rien et que, par conséquent, nous ne pouvons pas la contrôler.

– Vous me faites rire. Vous savez très bien que nous finissons toujours par contrôler qui nous voulons!

– Alors, faites ce que vous souhaitez, aurait conclu Madeline d'un air découragé.

Voilà, à quelques détails près, ce qui avait dû se passer au sein de la famille McIntyre. La rencontre d'aujourd'hui n'était que la conclusion logique des plans qu'ils avaient échafaudés pour amener Lauren dans leur camp. Ils allaient maintenant s'insinuer dans sa vie professionnelle jusqu'à ce qu'elle soit leur obligée non seulement sur le plan moral, mais également sur le plan financier. Leur filet était jeté, ils n'avaient plus qu'à prendre le poisson! Mais leur surprise serait grande quand ils s'apercevraient que le poisson était particulièrement glissant. Lauren avait déjà essuyé bien des tourmentes et appris à survivre dans les eaux troubles et violentes où évoluaient de vilains gros requins : ces mangeurs d'hommes aux mines souriantes portaient des costumes bien coupés et des rivières de diamants, parlaient sur un ton feutré d'affaires, d'occasions à saisir. Si elle avait suivi leurs conseils mielleux, elle aurait inévitablement échoué sur des rives désertes. Heureusement elle n'en avait rien fait. Mais, à leur contact, elle avait acquis la prudence des serpents.

Riff, arborant toujours son sourire de candidat victorieux, s'était assis près d'elle. Lloyd posa enfin le téléphone.

– Quelle chance, lui dit Riff, que mes parents aient pensé à vous pour cette affaire! Mon père vous a toujours envié la sûreté de votre jugement en matière artistique, mon cher Phillip. Il a sans doute compris qu'il ne posséderait jamais une collection aussi belle que la vôtre et a donc préféré y collaborer plutôt que d'y renoncer complètement.

Lloyd ne releva pas la remarque et continua d'observer intensément Lauren.

– Riff vous a-t-il dit pourquoi vous avez été priée de venir ici aujourd'hui? demanda-t-il.

– Il m'a informée que vous aviez des tableaux de très grande qualité et que vous souhaitiez les voir exposés dans ma galerie lors de son inauguration.

Sans doute s'agissait-il de peintures contemporaines dont il voulait se débarrasser, avait pensé Lauren, car sa collection avait la réputation d'être essentiellement composée de toiles de grands maîtres anciens. Il s'agissait sûrement de quelque De Kooning ou Lichtenstein qu'il ne voulait pas garder.

Lloyd hocha la tête.

– Ce sont deux œuvres très particulières. A mon avis, elles sont excellentes. Ma femme, qui les a découvertes, les trouve extraordinaires. Mais j'aimerais avoir votre opinion personnelle.

Il se leva et se dirigea vers une porte donnant sur un passage voûté où il s'engouffra. Quelques instants plus tard, il revenait, portant deux toiles sans cadre qu'il posa contre le mur. Il fit un pas en arrière et attendit la réaction de la jeune femme.

Lauren, suivie de Riff qui ne la quittait pas d'une semelle, traversa la pièce et s'arrêta à mi-chemin : elle ressentit un choc. Etait-ce possible? Ne se trompait-elle pas? Ce qu'elle regardait était-il vraiment aussi remarquable qu'il lui semblait?

Lloyd la poussa légèrement en avant. Non! Ce n'était pas une erreur ni un effet de lumière.

– Qui les a peintes? demanda-t-elle, le souffle coupé. Où les avez-vous trouvées?

– L'artiste se nomme Christopher Reynolds.

– Reynolds? Je ne le connais pas, murmura-t-elle, surprise de sa propre ignorance.

Ce Reynolds n'était pourtant pas un débutant! Elle recula pour mieux admirer la technique et le mélange raffiné des coloris.

– Et pour répondre à votre seconde question, ma femme les a dénichées dans une galerie de deuxième ordre à Santa Monica.

– Elle a l'œil! Ces toiles sont étonnantes.

Lauren se perdait dans la contemplation des deux petits chefs-d'œuvre. L'un d'eux, surtout, la fascinait : sur un fond brun foncé se détachaient d'inquiétantes silhouettes tourmentées que l'on sentait plus qu'on ne les voyait. Une volute bleue surgissait de cette masse obscure, comme un nuage, une force tourbillonnante qui s'échappait en dansant vers l'extérieur. Au premier plan, de violentes taches de couleurs électriques retenaient le regard : rouges, jaunes et vertes. On aurait dit des formes païennes et sensuelles.

Mon Dieu, pensa Lauren, je comprends enfin ce que veut dire le mot viscéral : cette peinture est viscérale! L'artiste a coupé dans la chair vive jusqu'à l'os. Il a touché l'âme. Quel genre d'homme peut avoir des sentiments pareils et un tel degré d'émotion?

– Reynolds avait besoin de pièces détachées pour réparer des motocyclettes.

Lauren crut avoir mal entendu.

– Comment?

– Des pièces détachées pour motocyclettes. Il gagne sa vie en réparant ces engins.

A ses côtés, Riff faisait semblant de s'intéresser à la conversation mais, s'il était physiquement présent, son esprit vagabondait ailleurs, sans doute sur son yacht en route pour Catalina Island, ou peut-être occupé à définir la stratégie de sa future campagne électorale.

– Je vais vous paraître sinistre, dit Lloyd, mais j'ai fait vérifier son identité et sa profession par ma police privée. J'agis toujours ainsi quand j'ai affaire à des inconnus.

Lauren ne parut pas surprise.

– On se croirait dans un film policier! dit-elle en riant.

Evidemment, avec son argent et ses multinationales, Lloyd était la victime désignée des terroristes, et de telles précautions étaient nécessaires dans le milieu où il évoluait, si différent du monde des arts où vivait Lauren.

– Et sur moi? Vous avez également fait des vérifications?

– Bien entendu, répondit-il gravement. J'ai découvert que vous étiez une inconditionnelle de l'excellent! Mieux vaut l'avoir avec moi que contre moi, me suis-je dit.

Il reporta son attention sur les toiles et ajouta :

– Reynolds habite tout près d'ici, à Venice, à deux pas de la plage.

Lauren connaissait bien la banlieue de Los Angeles et Venice plus particulièrement, avec ses quartiers résidentiels et ses ghettos.

– C'est un crève-la-faim, m'a dit ma femme. Il loge en garni et vit d'une manière plutôt bohème et romantique.

– C'est-à-dire de façon misérable et pathétique.

– La définition me paraît assez exacte.

– Sa vie privée est...?

Elle se sentit stupide d'avoir posé pareille question. Lloyd parut surpris. Elle tenta de se rattraper.

– C'est uniquement de la curiosité professionnelle, expliqua-t-elle. Je pensais que... avec une œuvre aussi dynamique, il devait être intéressant de savoir... c'est-à-dire... j'ai senti que...

– Oui, l'interrompit Lloyd, ma femme aussi a subodoré le côté inhabituel de sa personnalité. Elle nous a même dévoilé sans honte son admiration pour... comment dirais-je... les autres talents qu'elle devinait en lui. Elle m'a déclaré en rentrant : je suis sûre que derrière ce coup de pinceau, il doit y avoir un homme passionné. Vous voyez que l'argent n'a pas gâté le plaisir que peut prendre ma femme aux réalités de la vie!

Lauren comprit que Llyod était fier de sa femme et qu'elle l'amusait. Elle remplissait parfaitement les fonctions auxquelles sa classe sociale l'astreignait, mais elle restait profondément humaine. L'honnêteté était certainement une qualité qui n'avait pas de prix aux yeux de Lloyd.

Pendant un moment, une vague de tristesse submergea Lauren. Elle avait toujours souhaité vivre auprès d'un homme qui l'accepterait telle qu'elle était et dont elle aurait respecté la personnalité. Elle enviait presque Lloyd. Oui, sans doute était-il possible à un homme d'avoir une épouse à ses côtés tout au long du dur chemin qui conduisait à la gloire, mais la même dévotion désintéressée était un luxe rarement offert à une femme.

Riff sortit tout à coup de ses rêves.

– Vous m'étonnez, dit-il. Vous pouvez vraiment définir la psychologie d'un homme d'après ses œuvres?

Il scrutait les toiles comme si un secret y était dissimulé.

– C'est une question de sensibilité professionnelle. Cela se sent... de l'intérieur, répondit Lloyd. N'est-ce pas, mademoiselle Taylor?

– C'est exact. La base même de notre métier consiste à détecter la valeur de l'homme sous la palette de l'artiste. Question d'intuition. Voyez-vous, l'art est une chose merveilleuse qui ne s'occupe que de beauté. Posséder un tableau n'est ni une question d'argent ni une question de snobisme, comme trop de gens le croient. Un peintre, tout comme un poète ou un musicien, projette ses sentiments intérieurs et les fait partager à la multitude.

Un peu embarrassée par cette longue déclaration, elle s'arrêta net. Riff haussa les épaules.

– Je ne comprends vraiment pas ce qui vous enthousiasme sur ces toiles. Moi, je n'y vois que tourbillons et fioritures!

Qu'importait ce que disait Riff! Ce qui comptait, c'était que Lloyd avait compris la jeune femme. Mais elle aussi l'avait percé à jour. Il lui avait fait miroiter la possibilité d'obtenir de lui des chefs-d'œuvre car évidemment, s'il lui avait demandé de venir voir les toiles d'un inconnu, elle ne se serait pas dérangée. Mais Lloyd connaissait la nature humaine et savait que, lorsqu'elle aurait découvert le travail de Christopher Reynolds, elle n'y résisterait pas, d'abord parce que ses compositions étaient sublimes mais également pour une raison plus sentimentale. Lauren rougit intérieurement en pensant que Lloyd l'avait devinée à ce point. En effet, une œuvre rare était une chose, un artiste rare en était une autre; or Lloyd, qui avait décelé chez Lauren une sensibilité féminine peu commune, savait qu'elle serait seule capable de découvrir si Christopher Reynolds réunissait en lui ces deux raretés.

– Acceptez-vous d'exposer les toiles de Reynolds dans votre galerie?

– Bien sûr! Vous n'en avez d'ailleurs jamais douté!

Riff parut surpris.

– Je croyais que...

– ... que je n'acceptais que les célébrités?

– En effet. Je croyais que vous n'exposiez chez vous que des peintres renommés.

Et, se tournant vers Lloyd, il ajouta :

– J'étais persuadé que vous ne vous occupiez, vous aussi, que d'œuvres reconnues.

– Jusqu'à présent, c'était exact, dit Lloyd, essayant vainement de dissimuler le sourire qui lui venait aux lèvres.

Désignant Lauren, il ajouta :

– Quant à Mlle Taylor, peut-être qu'elle s'est enfin enthousiasmée pour l'art abstrait, selon votre expression, sénateur!

Chapitre 2

Lloyd lisait à haute voix les clauses de l'accord qui le liait à Lauren Taylor pour l'exposition des toiles de Reynolds dans la galerie de la jeune femme. Après cinq minutes de discussion, Riff, qui les écoutait, décida qu'il en avait assez.

– Une conférence de presse serait une bonne publicité. J'aimerais évidemment y assister mais l'art a toujours été pour moi une telle... une telle...

– Corvée, souffla Lauren avec un sourire excédé.

– Exactement.

Il lui lança un petit clin d'œil et lui décocha le sourire le plus enjôleur de sa collection, celui qui d'ordinaire mettait toutes les femmes à ses pieds. Mais, avec Lauren, c'était peine perdue. Coupant d'un geste la parole à Lloyd, il ajouta :

– Si on ne se revoit pas d'ici là, je vous donne rendez-vous pour le grand soir.

– Vos parents seront présents?

– Bien entendu... et toute ma famille. Ce sera une véritable invasion.

Il se leva, balaya d'une caresse les épaules de Lauren et s'en alla. Lloyd se concentra de nouveau sur Lauren.

– Vous faites un beau couple, tous les deux.

– Absolument ridicule, fit la jeune femme avec une moue de dégoût.

– Alors pourquoi?

– Oui... Pourquoi?

Elle s'était déjà posé la question des milliers de fois.

Assis derrière son bureau, Lloyd lui apparut soudain comme le parfait confesseur. Il était tentant de se confier à lui.

– Cela nous arrange, dit-elle enfin. On affirme qu'en général carrière et amour vont rarement de pair, surtout en ce qui concerne les femmes. Je crois que ce vieux dicton est véridique!

– Autrement dit, le cœur du sénateur est entièrement dévolu à sa carrière et le vôtre à Michel-Ange.

– C'est à peu près cela.

– Pourtant vous êtes une femme ravissante. Il paraît difficile de croire que vous n'ayez jamais donné votre cœur à quelqu'un!

– Mon cœur, monsieur Lloyd, a appartenu à beaucoup d'hommes célèbres, dit-elle d'un ton mystérieux.

– Ah! Voilà qui est fascinant, répondit Lloyd, jouant le jeu. Serait-ce trop vous demander que de m'en donner seulement les initiales?

– Leurs noms en entier, si vous voulez! Il y a eu... Renoir, Matisse... Degas... Vous voyez que ma vie privée est riche!

– Et votre cœur toujours occupé! Oh! excusez-moi, je n'avais pas l'intention de vous choquer.

– Que voulez-vous! J'aimerais pouvoir dire que je suis totalement dénuée de passion, mais ce serait un mensonge. Mon seul tort est peut-être d'avoir tout misé sur la même carte. Je ne saurai si j'ai bien joué que dans deux ou trois semaines.

– Ainsi, vous et Riff avez monté de toutes pièces ce petit acte uniquement dans un but publicitaire! Le spectacle a l'air très au point, d'ailleurs. On va forcément vous prendre pour un couple d'amoureux.

– Ce n'est qu'un arrangement momentané, un accord tacite dont chacun de nous bénéficiera. Inutile de vous dire qu'il n'y a rien entre Riff et moi. Mais la presse qui est friande d'histoires de cœur aura ainsi quelque chose à se mettre sous la dent. Riff obtiendra ce qu'il cherche sur le plan politique, c'est-à-dire une image séduisante. Vous connaissez sans doute les raisons qui ont amené sa famille à me choisir comme partenaire temporaire! Je dois lui apporter une réputation de stabilité de façon à éviter que ne s'attache à lui la notion de play-boy.

– Et que recevrez-vous en échange?

– La possibilité d'entrer en contact avec des personnes aussi éminentes que Phillip Whelen Lloyd.

Lloyd accepta le compliment avec une moue incrédule.

– Mais voyons, réfléchissez un peu : nos chemins se seraient forcément croisés un jour ou l'autre sans l'aide des McIntyre! J'achète des œuvres d'art et vous vendez les meilleures de toute l'Amérique. McIntyre n'a fait que devancer l'inévitable.

– Dites-moi, demanda-t-elle avec le désir évident de passer à un autre sujet de conversation, pourquoi Phillip Lloyd a-t-il décidé de devenir l'ange gardien d'un peintre inconnu?

Lloyd resta pensif pendant un moment, puis il tendit la main vers un petit cadre posé sur son bureau. De là où elle était assise, Lauren ne pouvait voir ce qui y était représenté mais elle avait remarqué que le regard du vieil homme s'y attardait souvent et que ses yeux s'emplissaient parfois de larmes lorsqu'il le considérait.

– C'est la photo de mon fils, dit-il d'une voix à

peine audible. Vous êtes peut-être au courant de ce qui lui est arrivé?

L'esprit de Lauren fit un bond en arrière. Oui... elle se rappelait.

– Il a été...

Elle s'arrêta net.

– Assassiné, oui, vous pouvez prononcer le mot, je suis maintenant anesthésié. Mon fils a été assassiné.

Il n'y avait aucune rancœur dans sa voix mais une grande lassitude devant les vicissitudes, les caprices et la cruauté de la vie.

Lauren se souvenait parfaitement de l'incident. Cinq ans plus tôt, Carey Lloyd avait été l'innocente victime d'une junte militaire au fin fond de l'Amérique latine. On en avait beaucoup parlé dans les journaux et à la télévision. Le Président avait même usé de représailles contre le pays où avait été perpétré cet acte barbare.

– Mon fils était un être d'une pureté sans pareille. Il était comme sa mère, net, franc et vrai. Au lieu de prendre ma suite dans les affaires, il a préféré faire son chemin tout seul. Il aimait aider les gens et allait partout enseigner aux paysans à irriguer leurs terres, à planter du blé pour éviter les terribles famines. Un jour qu'il suivait sa route solitaire, une balle tirée par une arme automatique l'a frappé en pleine tête.

– Je suis désolée, murmura Lauren qui ressentait la douleur de Lloyd comme si c'était la sienne propre.

– Je vais vous avouer une chose que peu de gens savent : la balle qui a tué mon fils a été tirée par une arme fabriquée dans une des usines que je dirige. Vous comprenez maintenant pourquoi je tiens égoïstement à poursuivre les bonnes œuvres de mon enfant.

– En souvenir de lui, murmura-t-elle.

– Non, pour moi-même... c'est une pénitence que je m'inflige.

Il ouvrit un des tiroirs de son bureau, en tira un dossier et en étala le contenu devant lui.

– Vous m'avez donc été chaudement recommandée par les McIntyre qui, je m'en rends compte maintenant, avaient des raisons précises de s'intéresser à vous. Je me suis livré à une petite enquête sur votre passé et j'ai découvert la véritable raison de votre présence ici aujourd'hui. Il ne s'agit pas de l'association avec le sénateur dont vous m'avez parlé.

– Puis-je savoir ce que vous avez trouvé?

– Beaucoup de choses! J'ai appris par exemple où vous avez fait vos études, où vous avez travaillé et comment vous avez réussi à vous hisser au sommet de la réussite malgré votre jeune âge. J'ai passé tout cela au tamis jusqu'à ce qu'il ne reste plus que le cœur de Lauren Taylor. Et j'ai découvert que vous êtes une créature contradictoire : il y a en vous une dame au sens noble du terme, mais aussi un personnage qui, je crois, peut facilement se transformer en... je dirais presque... un voyou belliqueux, en cas de nécessité. Vous êtes à la fois réaliste et romantique, mais votre principal trait de caractère est ce perpétuel besoin de perfection que vous ressentez.

Il referma le dossier et en caressa la couverture cartonnée.

– Toute votre histoire tient dans ces quelques pages, ou plutôt, entre les lignes de ce rapport.

Puis, tirant une autre feuille de papier de son tiroir, il ajouta :

– Ceci est un rapport que j'ai envoyé à ma banque de Zurich. J'ai donné des instructions pour qu'on livre à votre galerie un dessin de Rembrandt.

Vous le mettrez en vente le soir de votre inauguration.

– Un Rembrandt!

Elle croyait rêver.

– Ce sera le seul dessin original de ce peintre sur le marché américain.

– C'est exact, confirma-t-elle, trop éberluée pour formuler des remerciements.

Lloyd se leva et lui tendit la main.

– Je regrette, mais j'ai un avion à prendre. Vous m'avez fait une faveur, mademoiselle Taylor, ou plutôt Lauren, si vous le permettez. Je veux vous en faire une à mon tour et c'est pourquoi je vous fais parvenir ce Rembrandt. Je tiens à ce que l'inauguration de votre galerie attire les foules. Et n'oubliez pas que je m'intéresse particulièrement à ce Reynolds. Je vous confie le soin de lui faire une publicité correcte.

Il l'accompagna jusqu'à la porte et ajouta :

– Tenez, voici l'adresse de Christopher à Venice. Il n'a pas le téléphone. Par conséquent, si vous souhaitez le rencontrer, il faudra vous déranger. J'aimerais que vous jetiez un coup d'œil à ses autres toiles et que vous m'en rendiez compte à mon retour de Londres. Et dites-lui que j'exige sa présence à la galerie le soir de l'inauguration.

Chapitre 3

Vingt-quatre heures plus tard, Lauren trouva le temps de quitter sa galerie et de se rendre à Venice.

L'adresse qu'elle tenait à la main était bien la même que celle qu'elle voyait affichée en lettres métalliques toutes rouillées sur la porte d'une bâtisse à deux étages.

– S'il vous plaît, monsieur? dit-elle en agitant le bras sur le seuil d'un garage si petit qu'une seule voiture l'aurait rendu impraticable.

L'homme auquel elle s'adressait était penché sur les pièces d'une motocyclette entièrement démontée. Apparemment contrarié d'être dérangé dans son travail, il leva la tête à contrecœur. Mais sa réaction d'agacement disparut aussitôt pour faire place à la surprise. Debout sur le pas de sa porte, une jeune femme ravissante lui apparut comme une apparition porte-bonheur.

– Vous avez l'air complètement perdue, dit-il.

Sa voix douce et profonde a des inflexions aussi nuancées que les ombres et les lumières de ses tableaux, pensa Lauren.

– Je cherche Christopher Reynolds, dit-elle.

– Reynolds... Reynolds, fit-il en se levant.

Il était grand et mince, avec des jambes et des bras musclés. Rien de triste ni d'ascétique en lui.

– Christopher Reynolds, le peintre, insista-t-elle.

Deux grands yeux noirs lui sourirent.

– Oui! Je le connais! C'est un type formidable, répondit-il en riant.

Jouant le jeu, Lauren rétorqua sur le même ton enjoué :

– Non, non! Pas celui-là! Celui que je cherche est un grand fripon et un gros taquin!

Tous deux éclatèrent de rire. La glace était rompue.

– Bonjour, dit-elle en lui tendant la main. Je suis Lauren Taylor.

– Et moi, le fripon!

Il jeta sa pince dans la boîte à outils, tendit la main mais la retira aussitôt pour l'essuyer sur un vieux chiffon.

– C'est votre jour de bonté? Vous faites vos visites de charité dans les taudis?

– Je fais la chasse aux trésors.

Elle ouvrit son sac et fouilla dedans à la recherche d'une carte de visite. Elle sentait le regard de Christopher errer sur toute sa personne : ce n'était pas le peintre qui la regardait, mais l'homme qui évaluait en connaisseur les lignes de son corps à travers la légère robe de lainage blanc. Ses cheveux noirs, coupés aux épaules, flottaient librement autour de son visage et, lorsqu'elle baissa la tête, ils formèrent un écran protecteur contre la rougeur qui envahit soudain ses joues.

Ayant enfin mis la main sur sa carte, elle la tendit au jeune homme.

– J'estime avoir eu beaucoup de chance de connaître vos œuvres, monsieur Reynolds.

Il jeta un coup d'œil au petit carton qu'il tenait à la main.

– Rien d'étonnant que vous n'en ayez jamais entendu parler auparavant. Actuellement, mon club de fans ne comprend qu'un seul adhérent : mon gros matou qui d'ailleurs a une préférence marquée pour les petites souris bien dodues. Mon unique exposition remonte à quatre ans et l'on ne peut dire que ce premier pas vers l'immortalité ait laissé beaucoup de traces dans les annales de l'histoire de l'art.

Il passa la main dans son épaisse chevelure brune. Bien que sa tenue ne fût pas le type même de l'élégance vestimentaire, Lauren lui reconnut une distinction naturelle et une arrogance ironique qui étaient l'apanage, en général, des mannequins vedettes masculins recherchés par les publicistes. Il portait un jean très ajusté et une chemise bleu pâle où les taches de graisse formaient un tableau abstrait; les manches en étaient relevées au-dessus du coude. Des bottes de motocycliste, barbouillées de peinture séchée, achevaient de lui donner une allure assez peu conventionnelle. Lauren le trouva superbe.

– On m'a apporté deux de vos toiles. Vous les aviez vendues à une galerie de Santa Monica.

– Ah oui! fit-il en fronçant les sourcils. On m'y avait fait des conditions très dures.

– Et vous étiez dans une situation désespérée...

Il tourna la tête vers la motocyclette en cours de réparation :

– J'avais cet animal à nourrir.

– Comment? fit-elle incrédule. Avec le coup de pinceau que vous avez, vous éprouvez encore le besoin d'aller travailler à droite et à gauche pour gagner votre vie? Vous n'avez pas besoin de cela.

– Non?

– Non. D'ailleurs, croyez-moi, le moment de vous affirmer est venu. Tôt ou tard il faut risquer le tout pour le tout. Sinon, à quoi rimerait l'existence?

– Ah! Vous me chatouillez là où cela me démange... J'adore les compliments et j'étais sur le point de vous demander de venir voir mes eaux-fortes...

– Avec joie. Mais je vous préviens que mes jugements sont aussi directs et francs que mes revers au tennis.

Christopher Reynolds vivait dans un deux-pièces enduit de peinture blanche que l'air marin avait effritée et qui gondolait de partout. Lauren le suivit jusqu'à la porte de son appartement qui n'était pas fermée.

– Ce n'est pas Park Avenue, dit-il.

Un coup d'œil au living lui prouva qu'il ne mentait pas : une chaise capitonnée, monstre survivant sans doute des années cinquante, un candélabre sans abat-jour, une table ronde encombrée de tubes de peinture et de canettes de bière entamées, tel était le spectacle que rencontra son regard. Et, pour couronner le tout, trônant au milieu de tout ce bric-à-brac, un affreux gros chat roux à l'air méchant qui fit le gros dos dès qu'il la vit.

– Qu'en pensez-vous? demanda-t-il en se dirigeant vers la minuscule cuisine.

– Vous avez raison, ce n'est pas Park Avenue!

– Mais cela a beaucoup de charme, n'est-ce pas?

– Euh... une ambiance certaine.

– On prétend que cela ressemble un peu aux bas-fonds new-yorkais.

Quand il la rejoignit, elle était en train de regarder fixement le chat.

– Ah! Je vous présente Cavalier.

Il prit la bête dans ses bras mais elle se mit aussitôt à cracher et à siffler comme prise d'une rage folle. Il la reposa à terre.

– Il a peu d'amis! Je ne m'interpose jamais dans ses relations sociales. C'est à vous deux de définir vos futurs rapports.

Ils regardèrent l'animal gagner dignement la porte, la pousser d'une patte assurée et se glisser dehors.

– Grossier personnage, murmura Christopher... Je vous offrirais bien une tasse de café, mais je n'en ai plus.

– Aucune importance. Montrez-moi vos eaux-fortes.

– Ah oui! C'est vrai, j'oubliais.

Il se dirigea vers la pièce voisine, l'air aussi malheureux qu'un parachutiste au moment de se jeter pour la première fois dans le vide.

– Elles sont là, dit-il. J'ai une espèce de studio à quelques pas d'ici, que je partage avec un ami peintre. La lumière y est bonne et le loyer, bas. Quand j'ai fini de barbouiller mes chefs-d'œuvre, je les apporte ici pour me concentrer sur leurs imperfections.

– Quelles imperfections?

Christopher ne répondit pas. Lauren regarda autour d'elle : à part un grand matelas posé à même le sol, la pièce était encombrée de toiles; il y en avait partout, la plupart sans cadre. Oubliant la présence de Christopher, Lauren se mit à les étudier soigneusement. Une fois son examen terminé, elle se retourna vers le jeune peintre :

– Vous voulez devenir une vedette?

– Pourquoi? Vous croyez que c'est possible?

– Possible! Ces tableaux sont superbes, dit-elle avec enthousiasme.

– Je ne sais que dire...

– Vous avez tout dit avec votre pinceau.

Il se détourna et gagna la fenêtre du living où il demeura songeur. Elle le rejoignit.

– Je ne comprends pas, dit-elle. Pour peindre de cette manière, vous devez avoir un sens critique très aiguisé, donc vous savez forcément que ces œuvres sont remarquables.

Il secoua la tête et poussa un profond soupir.

– Il y a si longtemps que j'attends... Je n'arrive pas à y croire...

– Il le faut pourtant. Je m'y connais en attente désespérée, j'en ai eu ma part. Mais quand on a enfin atteint son but et qu'on est sur le point d'obtenir sa récompense, on a l'obligation morale d'en profiter. Réjouissez-vous, Christopher Reynolds, je vais faire de vous une étoile au firmament des vedettes.

Il se retourna et la dévisagea. Ils étaient très proches l'un de l'autre et Lauren sentait sa petite taille dominée par celle du jeune homme. Il sentait bon... une odeur bien masculine qui n'avait pas besoin d'eau de Cologne pour affirmer sa virilité.

L'espace d'une seconde, elle eut l'impression que tous deux partageaient la même envie de se jeter dans les bras l'un de l'autre. Mais Christopher prit enfin la décision qui s'imposait : il s'éloigna de quelques pas. Soulagée et déçue à la fois, Lauren lui fit un grand sourire.

– Savez-vous, demanda-t-il, ce que c'est que d'attendre pendant des années, la peur au ventre comme si un vautour vous dévorait les entrailles, avec la certitude qu'on est en train de perdre ses plus belles années ?

– Oui, oui, je connais cet oiseau-là. Il s'est longtemps nourri à mes dépens.

– J'ai peine à le croire, dit-il en la dévisageant. Votre existence a l'air de se dérouler comme celle d'une princesse de conte de fées.

– Elle devait avoir un bon attaché de presse, cette princesse !

– Comment avez-vous fait pour vous débarrasser de ce sale oiseau ?

– J'ai cessé de lui offrir des repas gratuits quand je me suis aperçue que le doute était son plat favori.

– Message reçu, fit Christopher, l'air songeur. J'ai l'impression d'avoir trouvé une merveilleuse marraine avec une baguette magique. Dès l'instant où je vous ai vue sur le seuil de ma porte, j'ai su que mon œuvre allait sortir de l'ombre!

Pendant un instant, ils ne bougèrent ni l'un ni l'autre. Le regard de Christopher enveloppait Lauren qui sentit couler dans ses veines une vague de chaleur semblable à celle qu'avait fait naître en elle la contemplation de ses toiles.

– Il faut que je rentre, dit-elle enfin. J'ai des rendez-vous et... euh...

– Bien sûr, bien sûr.

Mais elle ne fit pas le moindre mouvement. Lui non plus. Ils semblaient transformés en statues.

– Ah! fit-elle soudain en se frappant le front, j'allais oublier... les peintures... Je ne sais pas ce qui m'arrive, j'ai l'impression d'être dans le brouillard...

Tous deux se mirent à rire.

– Bon. Reprenons nos esprits. J'ai donc l'intention d'exposer vos deux toiles dans ma galerie lors de son inauguration. J'en prendrais volontiers davantage, mais la place me fait défaut. Une autre fois, plus tard... on verra...

– Deux peintures dans votre galerie, c'est déjà formidable. Et l'avenir aussi... sera formidable!

– Vous êtes invité pour le grand soir, ne l'oubliez pas. Je vous ferai parvenir un carton en bonne et due forme pour que vous n'ayez pas de problème à l'entrée.

Elle s'en alla rapidement, descendit l'escalier en courant, furieuse de s'être laissé prendre par le charme d'un inconnu.

A mi-chemin, elle se retourna et vit Christopher lui faire un signe de la main.

– A propos du grand soir... je n'ai rien à me mettre!

– Venez comme vous êtes. Ce sera parfait. On ne se formalise pas pour si peu à Los Angeles.

Elle dégringola les dernières marches, consciente du regard de Christopher qui ne la quittait pas.

Chapitre 4

Il était sept heures du soir lorsque Lauren quitta la galerie pour rentrer chez elle. Sa rencontre avec Christopher avait été le point fort de sa journée, le reste n'avait été que contrariétés.

Un de ses fournisseurs avait refusé de poser la moquette dans le salon privé avant d'avoir reçu un chèque de la moitié du total à payer. Or la banque n'avait pris aucune décision au sujet de la prolongation du paiement des intérêts qu'elle devait et n'avait pas répondu à sa demande d'un emprunt supplémentaire de cent cinquante mille dollars.

Le téléphone sonnait quand elle tourna la clef dans la serrure. Elle se précipita pour le décrocher. La voix de sa mère résonna à l'autre bout du fil.

– Tu m'entends? hurla-t-elle.

– Oui, oui, je t'en prie, ne crie pas!

– Ah bon! fit Dina, d'une voix redevenue normale. C'est à cause de l'orage. Incroyable! Je m'entends à peine! Si seulement nous étions avec toi au soleil de Californie au lieu de croupir à Philadelphie avec cette... mousson! Enfin... Je voulais te dire que nous ne pourrons venir pour ton vernissage. Ton père a des obligations qu'il lui est impossible de remettre. J'ai lu que les McIntyre y assisteraient en force! Qu'est-ce que c'est que cette histoire avec leur fils?

– Que veux-tu dire, maman?

Elle le savait parfaitement, mais faisait l'ignorante parce que la question l'irritait.

– Lauren, fit Dina sur le ton de la conspiration, cela aiderait beaucoup ton père si toi et Riff...

– La carrière de mon père se passe fort bien des McIntyre!

– Cela paraît sérieux, pourtant; il y a des photos dans tous les journaux et les magazines.

– C'est uniquement une question politique, maman. Riff aime faire parler de lui. Mais sur le plan personnel, il se soucie de moi comme de sa dernière chemise.

– Je ne peux le croire. Décidément, tu ne changeras jamais, Lauren! Jamais! Tu étais têtue comme une bourrique à deux ans, obstinée comme une mule à quinze! Tu ne voulais même pas prendre les leçons de danse et d'équitation que je te proposais. Et à vingt-sept, tu es toujours pareille!

– Vingt-neuf, maman, vingt-neuf!

– Oh! mon Dieu! Tu es déjà si vieille! Ne le dis à personne, surtout... Pense à moi!

– Enfin, maman, je ne vais pas me plier à tes fantaisies et épouser Riff McIntyre pour que papa puisse s'acheter une robe de juge! Il est aussi bien en costume!

Dina n'avait jamais pu supporter l'idée que son mari, greffier au tribunal, ne devienne pas procureur.

– Réponds-moi franchement, Lauren...

– Qu'est-ce que tu dis?

Lauren entendait maintenant les roulements du tonnerre dans l'appareil.

– Si le sénateur te demandait de l'épouser, tu accepterais?

– Non.

– Non?

Un silence suivit, lourdement chargé de déception maternelle.

– Pourquoi?

– Simplement parce que je ne l'aime pas.

– Tu n'as jamais aimé personne... personne de vivant, en tout cas. Ton cœur a toujours été pris par ces artistes français et italiens du XVe siècle qui croupissent dans leurs tombes et tu refuses d'épouser l'un des célibataires les plus riches de l'Amérique.

– C'est mon droit.

– Mais que cherches-tu chez un homme? Quand seras-tu raisonnable?

Lauren ne répondit pas. Ses yeux étaient fixés sur les toiles abstraites de Christopher Reynolds qu'elle venait de rapporter de chez Lloyd.

Une chose étrange se passa en elle lorsqu'elle entendit la question de sa mère : elle se sentit déconcertée, solitaire, fatiguée et vide comme une toile vierge. Elle avait désespérément besoin de voir son existence s'épanouir.

– Tu es toujours en ligne?

– Oui, maman, oui.

– Je suis désolée de t'ennuyer, mais mon rôle de mère exige que je te dise certaines choses : tu es censée tomber amoureuse, te marier et avoir des enfants comme toutes les jeunes filles de ton âge.

– Je connais la chanson, mais je regrette d'avoir à te dire que les contes de fées ne sont plus à la mode. Excuse-moi, il faut que je me sauve. Embrasse papa et dis-lui de ne pas trop travailler.

Elle posa le récepteur mais ne bougea pas. Son regard erra à travers son appartement, où elle aimait vivre. Elle gagna le salon et alluma toutes les lumières pour chasser les ombres porteuses de sombres pensées. La pièce était magnifique : sur le sol, un tapis pêche mariait sa teinte chatoyante avec le rose pastel qu'elle avait choisi comme tapisserie d'ameublement. Chaque meuble, chaque bibelot, dont quelques-uns étaient des objets anciens de grande valeur, avait été sélectionné avec amour et goût. Dans une certaine mesure, ils représentaient pour elle les enfants qu'elle n'avait pas eus, le mari qu'elle avait sacrifié à sa carrière. Un luxe auquel elle tenait particulièrement était les fleurs. Elle s'en faisait livrer chaque semaine à profusion. Un grand vase de cristal rempli d'iris et de lis tigrés trônait en face d'un ravissant Monet. On y voyait une guirlande de jeunes filles dansant sur le gazon et, plus d'une fois, Lauren avait rêvé de pouvoir se joindre à leur groupe joyeux. Plus d'une fois aussi, elle s'était reproché de garder ce tableau qui valait une fortune. Mais ce n'était pas l'argent qui l'intéressait; ce dont elle avait besoin, c'était de nourrir son âme, et le divin Monet la protégeait contre la froideur du monde extérieur.

Elle se leva de bonne heure le lendemain matin car elle avait des courses à faire. Elle n'arriverait donc à la galerie qu'en fin de matinée, ce qui n'avait aucune importance étant donné qu'elle avait eu la chance d'engager une assistante qui était parfaite. Jacqueline Boucher, fraîchement arrivée de France, était une jolie brunette dont le visage angélique était animé de grands yeux de biche couleur noisette. De nature enjouée et passionnée dans le privé, elle était sérieuse et réservée en public, parlait plusieurs langues et savait prendre ses responsabilités à tous les niveaux. C'était une aide précieuse pour Lauren qui ainsi n'avait pas toujours besoin de superviser le travail.

Lorsque Lauren regagna enfin la galerie, elle se sentait mieux : son moral reprenait le dessus. Les grandes lettres de cuivre représentant son nom au fronton de l'immeuble brillaient au soleil. Mais son euphorie fut de courte durée.

Elle trouva Jacqueline en conversation avec un homme en qui elle reconnut le responsable des prêts bancaires de sa banque. Elle lui avait récemment emprunté une grosse somme pour pallier les dépenses de l'ouverture de la galerie.

– Désolée de n'avoir pas été là pour vous recevoir, dit-elle d'un ton faussement joyeux. Je ne savais pas que vous deviez venir ce matin.

– J'ai fait faire à M. Wright le tour de la galerie, dit Jacqueline, l'air guindé.

Lauren la regarda et lut dans son regard un signal d'alarme.

– Peut-être pourrions-nous aller discuter dans mon bureau? suggéra Lauren.

– Bien sûr.

Lauren le conduisit jusqu'à la grande pièce où elle travaillait et lui proposa un café qu'il refusa.

– Dites-moi tout de suite la raison pour laquelle vous êtes venu.

Il sortit une grande enveloppe de sa sacoche, la posa sur la table puis s'appuya contre le dossier de sa chaise et attendit.

Lauren ouvrit l'enveloppe et en sortit des feuillets couverts de chiffres. Elle les parcourut puis leva la tête et toisa Wright.

– Je connais parfaitement l'état de mes finances et c'est pourquoi j'ai demandé un report de la date de paiement de mes intérêts.

– Demande qui a été rejetée...

Saisie d'une peur qui la paralysait, Lauren resta muette quelques instants. Mais, se reprenant rapidement, elle se dit qu'elle ne devait pas s'affoler. Ce n'était pas la première fois que la situation paraissait désespérée; elle avait toujours réussi à s'en sortir.

– Vous savez que j'ai une excellente réputation, non seulement auprès de votre banque mais aussi auprès de mes autres prêteurs.

– Vous aviez prévu des dépenses ne dépassant pas un demi-million de dollars et...

– J'étais en dessous de la vérité. Je n'avais malheureusement pas de boule de cristal pour y lire l'avenir ou pour m'avertir de l'effondrement de notre économie. Tout le monde en est au même point.

– C'est justement pourquoi nous ne pouvons pas vous aider.

– Vous ne connaissez rien à l'art!

La violence de l'affirmation prit Wright au dépourvu.

– Je sais ce que j'aime, dit-il, aussitôt sur la défensive. Nous avons chez nous des peintures à l'huile et des aquarelles. C'est ma femme qui les choisit, en général. Mais mes goûts artistiques n'ont rien à voir avec vos finances.

Lauren quitta sa chaise et vint s'asseoir sur le coin du bureau d'où elle dominait Wright du regard.

– Les gens qui viennent chez moi, dit-elle, n'achètent pas ce qu'ils aiment. Ils font des placements. L'art n'est pas une chose qu'ils pendent aux murs. Ce qu'ils recherchent, ce sont des valeurs sûres qu'ils peuvent enfermer dans les coffres-forts de leurs immenses châteaux de soixante pièces, au bord du Rhin ou du Danube. La clientèle qui rendra visite à ma galerie se moque éperdument des fluctuations économiques qui affectent les petites gens comme nous. Elle ne s'occupe que de protéger et de faire fructifier ce qu'elle possède. Si ma galerie était médiocre, elle n'y mettrait pas les pieds, parce qu'elle méprise la médiocrité. Jamais ces gens n'accepteraient de faire des affaires avec quelqu'un qui ne leur assurerait pas les meilleures conditions d'accueil et de services.

Wright renifla, regarda le bureau en bois de rose et enfonça ses talons dans le tapis moelleux.

– Evidemment, votre cadre de travail est luxueux.

– Je connais mon métier et les exigences de mes clients. Tout cela va vous coûter et me coûter cent cinquante mille dollars de plus.

– Je vois.

Elle crut qu'elle avait gagné la partie et poussa un soupir de soulagement.

– Malheureusement, ajouta Wright, cela ne dépend pas de moi. On ne peut différer la date de vos paiements. Bonne chance.

Il se leva et sortit. Lauren regarda la porte se refermer sur lui. C'était la première fois, depuis onze ans qu'elle travaillait, qu'elle se faisait battre au poteau. Elle s'enfonça dans son fauteuil et ferma les yeux. Des larmes se mirent à couler lentement le long de ses joues et, bientôt, de violents sanglots la secouèrent, donnant la mesure de son désespoir.

La porte du bureau s'ouvrit brusquement et Jacqueline parut. Elle se râcla la gorge, toussota à plusieurs reprises.

– Pardon, dit-elle, j'ai frappé mais vous n'avez pas entendu.

Elles étaient embarrassées toutes les deux. Lauren s'essuya les yeux.

– Les déménageurs ont terminé leur travail. Le lustre est magnifique.

– Il faut les payer, évidemment.

– Oui. Le type de tout à l'heure ne m'a pas plu du tout, annonça Jacqueline avec une surprenante véhémence. Cela n'a pas été facile avec lui, n'est-ce pas?

– J'ai connu des temps meilleurs... Bah! Cela

passera. J'ai dû lui expliquer que nous ne vendons pas des machines à laver, mais des Renoir, des...

– Détendez-vous. Dans certaines circonstances, il est permis d'être humain. Alors, laissez-vous aller et n'oubliez pas que je suis là.

– Merci, dit Lauren, émue. Croyez que j'apprécie. Mais faites-moi le plaisir de ne rien laisser transpirer de tout cela à l'extérieur. J'ai la réputation d'être solide et j'y tiens.

Elle réfléchit un moment et ajouta :

– Le lustre est payable à la livraison, donc il faut le régler. Mais demain, je reçois quatre tableaux que j'ai achetés à Londres et que je ne pourrais pas rendre même si je le voulais. Et après-demain... Oh! Mon Dieu...

– Après-demain n'est pas encore là. Faites-moi le chèque pour le lustre. On s'occupera de demain le moment venu.

Lorsque son assistante fut sortie avec le chèque, Lauren décida de ne pas attendre le lendemain pour agir. Elle avait trouvé une solution qui lui briserait certainement le cœur, mais la tirerait d'affaire momentanément.

Elle se mit à compulser le fichier rotatif qui contenait les adresses personnelles de ses clients et amis. Personne n'y avait accès, pas même Jacqueline en qui elle avait pourtant toute confiance. Il y avait là des renseignements qu'elle aurait pu vendre à prix d'or à la presse. Mais cette idée ne l'effleurait pas une seconde. Elle sortit une fiche, la glissa dans son sac, remit le fichier dans le coffre mural qu'elle ferma à clef, puis retourna dans la galerie.

– Jacqueline, je...

Lauren s'arrêta net. Sur le seuil de la galerie, manifestement aux prises avec Jacqueline qui s'était transformée en douanier irascible, se tenait Christopher Reynolds. Il jeta un regard par-dessus l'épaule de la jeune assistante et aperçut Lauren. Il tenait un bouquet d'une main et une toile de l'autre. Rencontrant son regard, Lauren ressentit le même choc que lorsqu'elle avait vu ses œuvres pour la première fois.

– Bonjour, dit-il, un sourire dans les yeux.

– Ah! s'écria Jacqueline, alors vous disiez la vérité! Excusez-moi, monsieur, mais les gens racontent de telles histoires quand ils veulent montrer leurs œuvres à Mlle Taylor que je suis obligée d'être intraitable.

Elle se rendit compte que personne ne l'écoutait, haussa les épaules et se retira dans la pièce du fond.

Lauren et Christopher se rejoignirent au milieu de la galerie. Il tendit son bouquet à la jeune femme.

– J'ai lu quelque part qu'on doit toujours apporter des fleurs aux fées marraines!

– Merci. Elles sont superbes.

Elles étaient horribles! Un mélange de marguerites jaunies et d'iris teints, visiblement achetés dans une grande surface au moment où on allait les mettre à la poubelle.

– J'aurais aimé vous offrir des roses... Quand j'aurai vendu une ou deux toiles, je le ferai...

– C'est la pensée qui compte.

– Oh! J'oubliais. Je vous ai aussi apporté une toile.

– Vraiment?

Elle pensait au coup de téléphone qu'elle devait donner.

– Oui, c'en est une que vous n'aviez pas vue. Elle était restée dans mon atelier. A mon avis, c'est la meilleure de toutes celles que j'ai faites jusqu'à présent. J'ai pensé qu'elle pourrait peut-être remplacer l'une des deux autres que vous avez chez vous. Mais je vous dérange...

Il la regardait de ses yeux noirs comme s'il lisait en elle.

– Vous êtes occupée, reprit-il, je ne veux pas abuser de votre précieux temps. Peut-on dîner ensemble ce soir?

Elle hésita et il ne la laissa pas parler:

– Vous êtes sans doute déjà prise. Alors, juste une tasse de café... un quart d'heure au plus...

– Christopher, je n'ai aucun projet pour ce soir, mais j'ai un problème à régler tout de suite.

– Qu'est-ce qui ne va pas? demanda-t-il avec une gentillesse inquiète.

– Rien de grave, répondit-elle en évitant de le regarder.

– Oh! je sens qu'il y a du vautour là-dedans.

– Ce n'est rien que je ne puisse régler moi-même, dit-elle en esquissant un sourire. Merci pour les fleurs. Je vais les mettre dans l'eau, chez moi.

Sa voix trembla lorsqu'elle pensa à son appartement, son foyer.

– Content qu'elles vous plaisent.

Il l'observa en silence tandis qu'elle s'éloignait. Elle avait été un peu brusque et s'en voulait mais elle était obsédée par ce qui lui restait à accomplir. Il fallait à tout prix donner ce coup de téléphone qui lui éviterait de sombrer.

Chapitre 5

Elle claqua la porte de son appartement et se dirigea vers le téléphone, fit rapidement le numéro personnel de Keely Saint Martine. Tandis que la sonnerie retentissait à l'autre bout de la ligne, elle ferma très fort les yeux pour éviter de pleurer. Elle ne devait pas se laisser aller à son chagrin.

La femme de chambre autrichienne de Keely décrocha et, quelques secondes plus tard, son amie prenait l'appareil.

– Lauren, ma chérie! Quelle joie de t'entendre! On parle de toi dans tous les journaux, ton nom est sur toutes les lèvres. Raffaël m'a appelée ce matin : sa course en formule un est terminée et il sera de retour pour ton vernissage.

Mais Lauren ne voulait pas se perdre en vains bavardages. Elle souhaitait en venir au fait avant que ses nerfs la trahissent.

– Keely, que dirais-tu de faire une surprise à Raf?

– J'essaie toujours, mais ce n'est pas facile pour une femme de surprendre un homme qui prend ses virages à deux cent cinquante kilomètres à l'heure! Qu'est-ce que je peux lui apporter, je te le demande!

– Un Monet.

– Un Monet? *Ton* Monet?

– Oui, et tout ce qu'il y a dans mon appartement.

J'ai des problèmes d'argent et je n'ai pas d'autre recours.

A partir de là, tout alla très vite. Deux heures plus tard, Keely arrivait avec un camion de déménagement et un chèque de deux cent soixante-dix mille dollars représentant le montant à payer pour tout le mobilier, les objets anciens, le Monet et un Degas. L'ensemble irait décorer la nouvelle maison que Keely venait de recevoir de son jeune mari à Palm Springs.

Avant de partir, Keely promit à Lauren de ne révéler à personne l'état lamentable de ses finances.

Restée seule dans son appartement presque vide – il n'y avait plus qu'un lit et quelques sièges – Lauren s'appuya contre le mur en face de l'endroit où, quelques heures auparavant, elle contemplait encore la *Danse des jeunes filles,* de Monet. Le sacrifice avait été terrible mais elle se disait qu'il serait le prélude à un succès bien mérité. Elle s'efforça de rejeter la douleur qui la submergeait.

Une scène qu'elle avait vécue à l'âge de dix-huit ans lui revint en mémoire. C'était à l'université de Cleveland. Le Pr Maxwell Kain, qui détestait ses étudiants autant que ceux-ci le méprisaient, faisait une conférence dont le pessimisme destructeur l'avait toujours hantée. Elle entendait encore sa voix proclamer :

– Il n'y a que deux sortes de personnes dans ce métier : ceux qui rêvent et ceux qui réalisent le rêve. La plupart de ceux qui m'écoutent sont des rêveurs... Peut-être que sur la quantité, un seul atteindra son but et réussira, mais j'en doute.

Elle avait eu l'impression qu'il la regardait fixement en prononçant ces derniers mots et son cœur s'était serré. Pourtant, elle avait immédiatement décidé de relever le défi.

Après avoir passé son diplôme d'histoire de l'art et son examen d'économie, elle avait travaillé à temps partiel dans diverses galeries pour apprendre le métier sur le tas, puis avait voyagé en Europe et en Asie, attrapant au dire de ses parents une indigestion de musées.

A Londres, elle avait passé un an chez *Sotheby Parke Bernet* où on lui avait enseigné que connaître les objets anciens était une chose et discuter avec les gens riches qui les achetaient en était une autre. Il fallait savoir comment se comporter avec la haute aristocratie financière.

Enfin, à vingt-six ans, elle avait ouvert sa première galerie à Greenwich Village. Quelques années plus tard, le grand magazine *Newsweek* faisait un reportage sur elle, ce qui était une sorte de consécration.

Elle avait très vite appris qu'on pouvait gagner beaucoup d'argent avec une clientèle privée, et des fortunes avec les associations nationales et internationales.

Et maintenant, debout devant l'emplacement vide de son tableau préféré, l'image de Maxwell Kain se reformait devant ses yeux, comme autrefois devant le regard terrifié de la jeune fille de dix-huit ans.

– Je ne crains plus vos prédictions maléfiques, murmura-t-elle avec véhémence. Moi, j'ai réussi!

« Pas encore, mademoiselle Taylor, pas encore! »

– Mais j'y arriverai, Kain. D'ici deux semaines, je vais ouvrir la plus belle galerie de la côte Ouest et peut-être de l'Amérique.

« Ce n'est pas encore fait, ma chère enfant. »

– Ce le sera, je vous le garantis!

« Mais il faudra la maintenir. Comment ferez-vous? »

Au moment où elle allait rétorquer, l'image se dilua brusquement tandis que retentissait la sonnerie de l'interphone. La voix de Christopher réclamait l'ouverture de la porte.

– Je sais ce que vous pensez, dit-il avant même que Lauren ait pu prononcer le moindre mot. Vous vous dites que vous avez rencontré un cinglé qui vous suit comme votre ombre!

Il lui tendit un gros sac à provisions bourré de victuailles.

– Voilà, c'est pour vous... pour nous. Je suis un peu fou. La perspective du succès me monte à la tête. Je n'ai pas l'habitude de m'imposer, pourtant...

Un peu effarée, Lauren regarda ce que contenait le sac.

– C'est notre dîner, fit-il.

– Chris, répondit-elle avec lassitude, je ne sais pas ce que vous avez dans la tête ni comment vous avez découvert mon adresse personnelle, mais je vous dois la vérité : je ne me sens pas d'humeur à recevoir des amis ce soir.

Le regard de Christopher parcourut le salon vide.

– Qui est votre décorateur? Il doit avoir l'imagination à zéro! Quelle simplicité!

Il l'observait, l'air interrogateur.

– J'ai eu une mauvaise journée, dit-elle.

– Je le sais, fit-il doucement. C'est la raison pour laquelle je suis ici. Allons, donnez-moi cela.

Il lui reprit le sac et se dirigea vers la cuisine. Elle le suivit, trop fatiguée pour élever la moindre protestation.

Il vida le sac et lui demanda :

– J'espère que vous aimez les steaks et le champagne. J'ai choisi un très bon cru. Mettez-le au freezer.

Elle tendit la main vers la bouteille mais, au lieu

de la lâcher, il se servit de cet intermédiaire pour l'attirer à lui. Repoussant d'une main caressante une mèche de son front, il la regarda avec tendresse et chuchota :

– Je sais que je n'ai aucun droit d'agir comme je le fais. Je vois que ce qui est arrivé aujourd'hui vous a complètement épuisée. J'ai compris que tout allait mal dès que je vous ai vue à la galerie, ce matin. Et j'ai commis une indiscrétion : je vous ai suivie. Vous m'aviez dit que vous rentriez chez vous, vous vous souvenez? Après, je me suis dit que j'étais idiot de croire que je pouvais vous être de quelque secours, alors je suis retourné à Venice. Mais votre image me suivait tout le temps, avec cet air douloureux que j'avais remarqué dans vos yeux... comme si le monde s'était écroulé autour de vous. Alors je suis revenu et j'ai vu un camion de déménageurs devant la porte de votre immeuble. J'ai assisté à tout... et j'ai pensé que vous n'aviez rien à manger ce soir. Quand on est malheureux, il ne faut pas rester l'estomac vide. Alors, voilà, je vous ai apporté de la nourriture et de la compagnie.

Ne sachant que répondre, elle lui prit la bouteille des mains et la plaça dans le réfrigérateur. Puis, fermant les yeux, elle décida d'être honnête.

– Je vais vous paraître étrange, mais je souhaiterais presque que vous ne soyez pas aussi gentil. Et, sans vouloir être grossière ni vous faire de la peine, j'aimerais que vous me laissiez seule maintenant.

– Allons, laissez-vous aller... Pleurez si vous en avez envie.

Il ne fit aucun mouvement vers elle, mais sa voix était calme, douce et profonde.

– C'est déjà fait, répondit-elle avec une franchise désarmante. Je crois que j'ai simplement trop travaillé ces temps-ci et que mes nerfs ont lâché.

– Vous n'avez pas besoin de me donner d'explications. Où est la poêle à frire?

Pendant que Christopher faisait cuire les steaks, Lauren prépara la salade. Il y avait quelque chose de réconfortant à travailler côte à côte en silence et, finalement, Lauren se sentit heureuse que Christopher soit venu. Ils dînèrent sur une nappe posée à même le sol, à la lumière de quelques bougies. Le champagne lui fit un peu tourner la tête et elle se surprit à éclater de rire puis à s'arrêter net comme sous l'effet d'une douche froide.

– Qu'est-ce qui ne va pas?

Assise par terre dans la position du lotus, le dos bien droit, elle regarda ses mains d'un air absent.

– Je ne devrais pas être si contente, dit-elle.

– Pourquoi? Moi, je suis euphorique, alors...

Elle le regarda avec surprise.

– C'est vrai, reprit-il. Le fait d'exposer mes toiles dans votre galerie m'a donné des ailes! J'ai enfin un objectif dans la vie auquel me raccrocher... Je n'avais jamais mesuré à quel point j'avais envie de certaines choses... de beaux vêtements, par exemple. Aujourd'hui, je me suis même arrêté devant la salle d'exposition d'un garage pour regarder... une voiture de sport! Vous vous rendez compte! Avoir des envies quand on ne peut pas les satisfaire ne rime à rien. Mais maintenant, tout me tente. Je veux... le monde entier!

– Vous l'aurez, affirma-t-elle avec conviction. Vous allez devenir célèbre, je vous le jure.

Elle le regarda mais, comme à travers un brouillard, elle vit se dessiner un autre Christopher tel que le succès le transformerait sans doute d'ici peu de temps : élégant, sûr de lui et toujours aussi beau. Elle n'était pas certaine de ne pas préférer celui qui se tenait devant elle; mais, de façon inexplicable, l'un et l'autre la désorientaient. Les lois qui régissaient le monde n'avaient plus cours dans l'univers où évoluait Christopher et elle avait l'impression d'y marcher à tâtons.

– Mon Dieu, fit-il tout à coup en la regardant, vous avez une expression incroyable. Ne bougez pas!

Il se précipita à la cuisine, arracha un morceau du sac en papier et revint avec un crayon. En un instant, il fit un croquis du visage de la jeune femme et le lui tendit. Les lignes en étaient simples et la main sûre; quant à l'œil, il était infaillible. Le dessin reflétait les mêmes qualités indéfinissables que celles de ses peintures, avec une passion sous-jacente qui transparaissait en filigrane.

– Merci, dit-elle simplement.

– Un jour, je ferai votre portrait pour de bon.

– Peut-être, répondit-elle.

Mais son esprit était ailleurs, occupé par les problèmes du lendemain.

Lauren avait toujours beaucoup travaillé dans sa vie, mais ce ne fut qu'au cours des semaines qui précédèrent l'inauguration de sa galerie qu'elle comprit ce que signifiait l'expression « morte de fatigue ». Maintenant que tout le monde parlait d'elle et que le succès était à sa porte, tous les agents artistiques auxquels elle s'était adressée six mois plus tôt et qui l'avaient poliment éconduite la harcelaient et lui faisaient mille propositions de vente. Elle se sentait comme la maîtresse du roi, le monarque des temps modernes étant, bien entendu, la presse.

Son nom, ses photos étaient à la une de tous les journaux. Elle s'était d'ailleurs mise d'accord avec une société de relations publiques pour définir sa stratégie publicitaire, bien des mois auparavant. Mais Riff avait insisté pour qu'elle accepte toute une série d'interviews qu'il avait prévues avec des magazines internationaux et des chaînes de télévision; il s'y était évidemment réservé le rôle principal.

– Je déteste vous voir vous immiscer dans mes affaires, lui avait déclaré Lauren.

– Ma chère, c'est pour votre bien.

– Pour le vôtre, plutôt!

Mais elle avait dû se plier à ses exigences et, avec un sourire de commande, avait participé à toutes les actions publicitaires. Bien souvent, elle s'était vue obligée de donner de violents coups de pied au jeune sénateur sous la table pour lui éviter de se couvrir et de la couvrir de ridicule.

Un jour, il déclara tout de go à Lauren :

– J'ai pensé que nous devrions annoncer nos fiançailles le jour de l'inauguration. Quel merveilleux coup de publicité!

Lauren faillit laisser tomber le bloc-notes qu'elle avait à la main et le regarda d'un air incrédule.

– Comment?

– Ce serait formidable! Mes parents seront là et...

– Vous parlez sérieusement?

– Evidemment! Je n'en ai pas encore soufflé mot à ma famille mais je suis certain que tout le monde sera ravi.

– Il n'en est pas question, Riff.

– Ecoutez, Lauren, je ne m'attendais pas à une explosion d'enthousiasme de votre part, mais je pensais tout de même que...

– Je sais parfaitement ce que vous pensiez, dit-elle avec un regard accusateur. Vous voulez vous faire à mes dépens une publicité gratuite pour vous attirer les suffrages de vos futurs électeurs. Seulement moi, je n'ai pas l'intention de marchander mes sentiments personnels. Je n'accepterai jamais d'annoncer mes fiançailles avec un homme que je n'aime pas et qui ne m'aime pas.

– Il ne s'agit pas d'amour, dit-il, maussade.

– Ah! Vraiment? De quoi s'agit-il alors quand on parle de fiançailles? Qu'avez-vous dans les veines, Riff? De la glace?

– Fiançailles ne veut pas forcément dire mariage. On fait l'annonce en question et, si elle nous apporte des avantages, on se met d'accord par la suite sur la marche à suivre pour aboutir à la conclusion normale de la situation.

– Vous avez l'air de composer votre feuille de route! railla-t-elle. Le mariage, Riff, c'est quelque chose de sérieux, pour moi; c'est un engagement à vie... Liés pour toute l'existence, la bague au doigt.

– Ne faites pas votre mijaurée. Vous avez accepté les relations que nous avons décidé d'établir sans vous préoccuper plus que moi du côté sentimental des choses. Vous avez un cœur... comment dit-on... d'artichaut!

Blessée par ce trait d'autant plus odieux qu'il contenait une part de vérité, incapable de trouver la repartie cinglante qu'elle aurait voulu lancer, Lauren jeta un regard noir au sénateur et s'éloigna en murmurant rageusement :

– Je déteste l'idée d'être manipulée comme une vulgaire machine.

– Vous vous prenez pour la dernière merveille du monde, ma chère. Si vous rêvez encore de prince charmant et de demeures coquettes blotties sous la vigne vierge, il faut vous réveiller! Vous avez passé l'âge!

Riff se révélait soudain un adversaire brutal prêt à toutes les bassesses pour obtenir ce qu'il voulait... un vrai McIntyre, autrement dit. Lauren espérait de tout son cœur qu'il ne parlait pas sérieusement lorsqu'il affirmait qu'il l'épouserait.

– Vous voulez dire, demanda-t-elle, que selon vous j'ai perdu mes chances en amour parce que j'ai choisi de réussir ma carrière?

– Je vous conseille simplement d'ouvrir les yeux et d'affronter certaines réalités. Vous vivez dans un monde différent de celui de vos rêves où il n'y a place pour aucune de vos notions fantasques sur l'amour romanesque.

Puis, balayant la galerie du regard, il ajouta avec un sourire cynique :

– Vous allez avoir besoin d'une clientèle triée sur le volet pour maintenir cet endroit en bon état de marche!

– Ma foi, dit-elle pour répondre à la menace sous-jacente contenue dans cette remarque, sur ce point au moins, nous sommes d'accord. Mais je ne suis pas née de la dernière pluie et je connais parfaitement mon métier. Je sais ce qu'il faut faire pour survivre.

– Je l'espère.

Il quitta les lieux sans autre commentaire.

Cette scène avec Riff avait laissé à Lauren un goût d'amertume. Elle avait très bien compris le message qu'il avait voulu lui faire passer. Chaque contact avec les puissances d'argent ou de prestige comptait à l'heure actuelle : Riff représentait les deux. Il le lui avait rappelé, sèchement et durement.

Elle rejoignit Jacqueline, occupée, avec l'aide de trois jeunes étudiantes, à calligraphier les cartes d'invitation. En parcourant rapidement la liste des noms, ses yeux tombèrent sur celui de Maxwell Kain.

– Je tiens à écrire l'adresse personnellement, dit-elle à Jacqueline, et à signer l'invitation de ce monsieur. Vous n'aurez plus qu'à la mettre à la poste.

Son ancien professeur Maxwell Kain était devenu le plus grand critique d'art de Los Angeles, et le plus redouté.

Elle prit une autre enveloppe dans le tas, la glissa dans son sac d'un air mystérieux en disant :

– Je porterai celle-ci à son destinataire... Nous économiserons un timbre !

Sans rien ajouter, elle sortit, sauta dans sa voiture et prit la direction de Venice.

Elle n'avait pas revu Christopher Reynolds depuis le soir où il était venu chez elle. Bouleversée par les propos de Riff, elle se demandait maintenant si elle avait vraiment fermé son cœur à l'amour le jour où elle avait décidé d'ouvrir une galerie. Etait-ce aussi ce que pensait Christopher ? Certes, elle avait eu des liaisons mais elle reconnaissait que, chaque fois qu'elle avait senti se former entre elle et ses partenaires des liens émotionnels trop sérieux, elle avait immédiatement rompu. Jamais elle n'avait songé à se marier. Peut-être n'avait-elle aimé personne suffisamment pour désirer partager son existence entière avec qui que ce soit.

Christopher parut surpris de la voir surgir sur le seuil de sa porte, et pas particulièrement content.

– Salut, dit-elle. Je vous apporte votre carton.

Il sortait visiblement de la douche : ses cheveux étaient mouillés, sa chemise déboutonnée et il était nu-pieds. Sans faire un geste pour l'inviter à entrer, il prit l'enveloppe, l'ouvrit, en examina le contenu avec un sifflement admiratif.

– Mazette, quel luxe ! Mais vous auriez pu l'envoyer par la poste !

Lauren se mordit les lèvres. Elle était déçue. Depuis son arrivée, il l'avait à peine regardée.

– J'étais dans les environs, cela ne m'a pas dérangée.

Un peu décontenancée par son air distant, elle demanda :

– Qu'est-ce qui ne va pas? Je vous dérange?

– J'allais sortir.

– Excusez-moi. Je ne vous retiens pas.

L'idée lui vint soudain qu'il avait sans doute une vie personnelle, une amie, et qu'elle était parfaitement ridicule d'être venue sans prévenir. Elle esquissa un mouvement de retrait mais il la rattrapa par le bras.

– Je tiens à vous adresser mes félicitations, dit-il.

– Des félicitations? Pour quoi?

– Vos fiançailles avec le sénateur.

– Vous êtes fou? Où avez-vous entendu pareille bêtise?

– Un de mes amis a vu l'interview qu'a donnée votre fiancé cet après-midi même à la télévision.

Lauren vacilla légèrement et s'adossa à la rampe de l'escalier.

– Ce n'est pas possible, dit-elle les dents serrées. C'est un odieux mensonge.

– Vraiment? Alors qu'est-il exactement pour vous?

– Le dernier des indésirables!

– Sérieusement?

– Oui. Il fait partie d'une difficile association d'intérêts.

– Et il sait ce que vous pensez de lui?

– Oh oui! Et c'est justement ce qui me fait enrager.

– Vous n'avez jamais que des relations d'affaires avec les hommes?

– Jusqu'à présent, oui, presque toujours.

Il fit un pas en arrière et lui claqua la porte au nez.

– Je vous verrai au vernissage? demanda-t-elle à travers le battant.

– Bien sûr, répondit-il rageusement. Un contrat est un contrat. Vous me rendez célèbre et je vous paye pour cela. C'est bien ainsi que se règlent les affaires, n'est-ce pas? Je n'ai guère l'habitude de ce genre de tractations. Je devrais me renseigner auprès de votre sénateur!

– Christopher...

Il attendit qu'elle poursuive, mais elle n'en eut pas le courage. Elle murmura seulement :

– Alors, entendu, je vous donne rendez-vous au vernissage.

Elle descendit l'escalier de bois en se disant qu'elle avait pris un mauvais tournant dans un territoire inconnu. Et elle n'aimait pas se sentir perdue.

Etendue sur son lit en simples sous-vêtements, Lauren regardait le journal télévisé du soir où était retransmise l'interview que Riff avait enregistrée quelques heures plus tôt. Elle tenait en même temps le récepteur du téléphone et essayait de mener à bien deux tâches différentes : regarder l'interview et écouter les explications que lui donnait Riff à l'autre bout du fil.

– C'est ridicule, affirmait-il, je n'ai jamais prononcé le mot de fiançailles.

– Non, mais vous vous êtes arrangé pour que tout le monde en soit persuadé!

– Oh! Lauren! Vous savez comment vont les choses! Les reporters sont tellement habiles et rusés!... Ils vous posent une question, vous leur répondez honnêtement et, avant que vous ayez eu le temps de vous en apercevoir, ils transforment vos paroles et vous font dire ce qu'ils veulent.

– Il n'existe pas un être au monde qui parvienne à faire dire à un McIntyre ce qu'il refuse de formuler! Vous le savez aussi bien que moi. Alors, je vous en prie, arrêtez votre démonstration!

– Et vous, trancha-t-il sèchement, arrêtez vos jérémiades. Grâce à moi, un demi-million de personnes au moins auront entendu parler aujourd'hui de l'inauguration de votre galerie. Alors, ne vous plaignez pas.

– Ecoutez, Riff, je voudrais que vous compreniez une bonne fois que je ne suis pas un pion qu'on déplace à volonté sur l'échiquier politique de votre famille. Vous allez donner immédiatement un démenti formel à cette histoire idiote. C'est clair?

– Cela ne servira à rien! Dans quelques jours, personne n'y pensera plus.

– Faites ce que je vous demande, Riff, sinon je vous jure que vous vous en repentirez.

– Pas de menaces, s'il vous plaît, dit-il d'une voix caverneuse.

Mais aussitôt il reprit d'un ton léger:

– Je ne peux pas démentir ce que je n'ai pas dit!

Elle voulut faire une objection mais il ne lui en donna pas la possibilité.

– Mon père m'a téléphoné tout à l'heure pour me dire que Lloyd a l'intention d'ouvrir un musée. Cela pourrait être intéressant pour vous. Vous étiez au courant?

– Non, pas du tout.

Comme l'avait prévu Riff, cette nouvelle lui fit oublier momentanément ses griefs contre lui.

– Mes parents ont pris contact avec certains de leurs amis. Vous seriez étonnée de voir les merveilles qu'ils détiennent, enfermées dans leurs greniers depuis des siècles! C'est stupéfiant. Il y en a parmi eux qui souhaitent se débarrasser de leurs tableaux. Llyod serait très reconnaissant envers la personne qui s'occuperait de repérer les œuvres de valeur et de mener les tractations de vente.

Il fit une pause pour lui donner le loisir d'enregistrer le message.

– Bref, reprit-il, j'ai pensé que vous étiez l'intermédiaire idéal... En ce qui concerne notre problème, je vous promets qu'à l'avenir, je surveillerai ma langue. Pour l'instant, laissons glisser... Bien entendu, ajouta-t-il, sentant qu'il n'avait pas encore gagné la partie, je fais toujours grand cas de votre jugement.

– Je veux que vous compreniez une chose et que vous l'expliquiez à votre famille, Riff : je ne suis pas du genre à me laisser manipuler.

Elle raccrocha et resta songeuse. La perspective de l'ouverture du musée personnel de Lloyd allait sans aucun doute lui permettre de collaborer avec lui. Mais les concurrents ayant pignon sur rue depuis bien plus longtemps qu'elle étaient nombreux. Leurs réseaux commerciaux étaient plus solides que les siens. La bataille serait dure! Incontestablement, les McIntyre pourraient lui apporter une aide efficace, mais elle redoutait ce qu'ils lui demanderaient en échange. Ils ne faisaient jamais rien pour rien.

La dernière image que son esprit fatigué vit flotter dans le brouillard avant de sombrer dans le sommeil fut celle d'un poisson tournant inlassablement autour d'un hameçon.

Chapitre 6

Le matin de l'inauguration, Lauren contemplait aux côtés de Jacqueline le royaume qu'elle avait créé, tout de soie et de tapis chatoyants. Son assistante était en train de suspendre un tableau abstrait de Jasper Johns évalué à quelque cent quarante-cinq mille dollars.

– Vous croyez vraiment qu'on a tout fait pour le mieux? demanda Lauren.

– Quelle question! répondit Jacqueline. Les gens vont être abasourdis. Le seul problème, à mon avis, c'est qu'il y a trop de belles choses ici! Dieu sait quels ignorants vont venir s'asseoir sur ces superbes sièges!

Elle secoua la tête en direction des somptueux fauteuils qui ornaient les salons du rez-de-chaussée, des chaises et du sofa recouverts de brocart.

– Ne vous inquiétez pas, personne n'entrera sans montrer patte blanche. J'ai engagé assez de gardiens pour résister à une attaque nucléaire!

Une profusion de fleurs et un immense buffet à la française, autour duquel s'affairait une bonne douzaine de serveurs, complétaient le décor luxueux de la galerie.

– Il n'y a plus rien à faire maintenant, dit Jacqueline.

– Oh! Que si! répondit Lauren. Regardez-vous dans la glace et vous verrez ce qui reste à faire!

– D'accord! Je vais m'occuper de ma beauté! Je vous laisse en compagnie de Rembrandt!

Ah! *Rembrandt van Rijn!* Le tableau était arrivé deux jours plus tôt dans un camion blindé et avait immédiatement été suspendu dans le salon privé du premier étage ouvert aux invités le soir de l'inauguration seulement. Après cette date, personne ne pourrait le voir sans prendre rendez-vous avec Lauren personnellement.

Depuis l'arrivée de cette toile, Lauren était inquiète bien que les portes du salon privé fussent blindées et munies d'un système d'ouverture spécial. Avant de rentrer chez elle, elle décida de tout vérifier une dernière fois. Elle prit l'escalier du fond qui conduisait à l'étage, appuya sur les touches du code secret et pénétra dans la pièce qui, selon ses plans, allait devenir le salon d'exposition le plus extraordinaire de la côte Ouest et peut-être de toute l'Amérique.

Elle contempla le Rembrandt à sa place d'honneur. En face, elle avait fait accrocher les deux toiles de Reynolds, ce qui lui avait valu une volée de bois vert de la part de Jacqueline. Elle l'avait regardée d'un œil soupçonneux et lui avait dit :

– Ce Reynolds est très séduisant, n'est-ce pas? D'ailleurs les artistes qui crèvent de faim ont toujours trois caractères distinctifs : ils ont faim, évidemment, ils sont séduisants et porteurs de mauvaises nouvelles. Prenez garde de ne pas tomber amoureuse de l'un d'eux.

Lauren, piquée au vif, rétorqua :

– Vous avez une notion très particulière des raisons professionnelles qui m'ont amenée à m'intéresser à ce jeune homme.

– Ma chère, il y a certaines choses qui se constatent de visu : vous avez ici un Rembrandt, un Chagall et un Braque. Ils sont tous morts. Seul

Reynolds est vivant et il n'a ni réputation ni relations, rien qu'un ravissant sourire et, je vous l'accorde, un physique viril et très attrayant.

– Je n'ai pas remarqué...

– Non! A mon avis, cela ne saurait tarder!

Lauren, vexée, laissa tomber la discussion.

Sur la table basse, devant le Rembrandt, elle avait posé les roses rouges que Christopher lui avait envoyées le matin même. Il y en avait douze. Avant de quitter la galerie pour aller se changer chez elle, elle en avait emporté une pour égayer son appartement.

A sept heures trente, les invités commencèrent d'arriver en masse, couverts de bijoux, de boas emplumés, sortant de superbes Rolls-Royce, de Jaguar ou de Mercedes-Benz. A l'entrée, chacun était tenu de présenter son invitation à Jacqueline qui, assise derrière un ravissant bureau Louis XIV, saluait tout le monde dans sa langue.

Au début, Lauren réussit à accueillir personnellement les arrivants mais, après une heure, la bousculade devint telle qu'elle ne put continuer à sacrifier à cette habitude à laquelle elle tenait pourtant. Elle dut se contenter d'adresser de souriants souhaits de bienvenue aux groupes qui se formaient et de recevoir avec une mine modeste leurs compliments et leurs félicitations.

Elle portait une robe de taffetas lie-de-vin très ajustée et largement décolletée, agrémentée d'un collier de diamants et de rubis, cadeau d'une de ses grand-tantes. Un élégant chignon et des boucles d'oreilles de diamants complétaient sa tenue.

Riff fut impressionné en la voyant. D'une manière générale, il ne faisait pas trop attention aux questions de mode mais appréciait ce qui avait de la classe. Son regard approbateur s'appesantit sur la jeune femme en même temps que celui de ses parents qui la passaient au crible et détaillaient chaque élément de son apparence. Le reste de la famille McIntyre était là au grand complet : une vingtaine de personnes en tout.

Madeline la prit à part.

– Vous êtes superbe, dit-elle.

– Merci, répondit-elle modestement. Vous avez vu le Rembrandt là-haut ? demanda-t-elle à Clarence qui venait de les rejoindre.

– Bien sûr, et nous sommes ravis d'avoir été l'instrument d'une si belle acquisition.

Lauren se mordit la langue pour ne pas l'envoyer sur les roses et lui dire que son aide n'avait rien à voir avec le Rembrandt.

Riff la saisit par le coude et l'entraîna auprès d'un reporter d'*Artnews*.

– Qui est-il ? demanda le journaliste.

– Qui ?

– Celui qui est là-haut avec les autres ?

– Ah ! Vous voulez parler de Christopher Reynolds ?

– Inutile de me dire son nom ! Je sais lire une signature ! reprit le reporter avec humeur. Je veux savoir quel genre d'homme il est. Où diable se cachait-il pour que je ne l'aie jamais rencontré auparavant ? Il n'est pas allemand ?

– Non, non, aussi américain que possible. Je l'ai trouvé dans un garage en train de réparer des motocyclettes, fit Lauren en riant.

Elle aperçut Christopher au milieu de la pièce, en jean et veste de cuir noir : il était magnifique et semblait créer un nouveau style beaucoup moins terne et plus original que celui des autres.

– Si vous souhaitez en savoir davantage sur Reynolds, c'est le grand type là-bas, en jean et veste noire, dit Lauren.

– Oh! fit le journaliste excité, j'ai vraiment envie de le connaître.

Il se glissa au milieu de la foule et Lauren, un sourire amusé aux lèvres, le regarda s'approcher de Christopher. Le peintre se retourna, surpris par la voix qui l'interpellait, serra la main que lui tendait le journaliste et parut déconcerté quand celui-ci l'entraîna dans un coin de la salle.

Lorsque Lauren le rejoignit quelques instants plus tard après avoir réglé la vente de plusieurs tableaux, il était planté devant le Rembrandt et tournait le dos à ses propres œuvres autour desquelles s'était amassée une foule d'admirateurs.

– Ce type avait l'œil! s'exclama-t-il lorsqu'elle s'arrêta à ses côtés.

– Celui d'en face aussi! répondit-elle doucement. Voulez-vous une coupe de champagne?

Elle en prit deux sur le plateau d'un serveur qui passait et lui en tendit une.

– J'ai l'impression d'avoir de petites bulles qui commencent à éclater dans ma tête, fit-elle en portant la coupe à ses lèvres.

– Merci, dit-il en prenant la sienne. Et merci pour cela.

Il fit un geste en direction de ses toiles.

– Je voulais que vous soyez en bonne compagnie pour votre première apparition en public. Ah!... j'oubliais, merci pour les fleurs.

– On m'a volé... j'en avais commandé douze!

– Il y en avait bien douze. J'en ai emporté une chez moi.

Il ne répondit rien mais l'observa longuement, se demandant ce que signifiait ce geste. Lauren rougit sous son regard interrogateur.

– Je crois... qu'il faut que j'aille m'occuper... des ventes... et de tout le reste.

Elle se sentait aussi intimidée qu'une jeune fille de dix-huit ans!

– Lauren, dit-il, vous êtes merveilleuse.

– Vous aussi, répondit-elle sans réfléchir.

Elle se mit à rire pour cacher son embarras et s'éloigna rapidement, sachant fort bien que, si elle se retournait, elle lirait dans les yeux du jeune peintre le même désir que le sien; car elle avait envie de lui, elle avait envie d'être dans ses bras.

Phillip Lloyd et sa femme Buffy créèrent l'événement parmi les invités et les gens de presse dès leur arrivée. Les caméras crépitèrent autour d'eux. Puis les photographes s'en donnèrent à cœur joie : ils photographièrent Lauren avec les Lloyd, Lauren avec les McIntyre, Lauren avec les célébrités hollywoodiennes, Lauren avec ses invités européens et, enfin, Lauren toute seule.

– Une seconde, s'écria-t-elle au milieu des flashes aveuglants, vous ne voulez tout de même pas manquer le rendez-vous avec l'histoire de l'art!

Elle alla chercher Christopher et, malgré ses protestations, le traîna jusque devant les caméras.

– Qui êtes-vous? demanda l'un des photographes.

– Personne, répondit-il, clignant des paupières sous le feu des éclairs de magnésium.

– Comment? se récria Lauren. Il est peintre et se nomme Christopher Reynolds. Je vous garantis qu'avant la fin de l'année, il sera l'artiste le plus demandé de toute l'Amérique.

– Par qui? Par vous ou par la presse?

Tout le monde se mit à rire. Christopher, soudain heureux d'être le point de mire, serra la jeune femme contre lui.

– Allez, souriez, lui dit-il en la tournant vers les objectifs braqués sur eux.

Son bras reposait solidement sur les épaules de

Lauren et sa main pesait contre sa poitrine. Tandis qu'ils obéissaient aux injonctions des opérateurs et prenaient les poses qu'on leur indiquait, elle sentit une chaleur l'envahir et le désir la submerger. Oubliant complètement la foule qui les entourait, elle ne sentait plus que le souffle chaud de Christopher contre sa tempe et la douce proximité de son corps.

– Le champagne m'est monté à la tête, murmura-t-il à son oreille. Je voudrais vous emmener loin d'ici.

Seule avec lui parmi la masse des gens qui les regardaient, elle brûlait d'une ardeur indicible.

– Dites que vous acceptez de rentrer avec moi ce soir, chuchota-t-il.

– Soyez sérieux, répondit-elle en souriant aux caméras.

– J'ai envie de vous. Vous avez envie de moi. Admettez-le comme je le fais.

– La gloire vous tourne la tête! Je ne... je n'ai pas...

Un reporter demanda à Christopher quelle impression cela faisait de se retrouver en compagnie de Rembrandt. Comme il répondait avec humilité et sobriété, Lauren constata que le champagne n'avait été qu'une mauvaise excuse pour lui permettre de lui faire des déclarations saugrenues. Elle resta songeuse.

– Vous vous sentirez merveilleusement bien dans mes bras, reprit-il. Je ferai naître en vous des images que vous n'avez jamais vues dans aucune galerie, cela...

– ... me rendra folle! C'est ce que vous voulez?

Elle rit et fit un geste vers les photographes.

– Cela suffit maintenant... j'ai vraiment l'impression de devenir un négatif!

Mais le rire mourut sur ses lèvres lorsqu'elle

aperçut Riff debout à côté des McIntyre; ils avaient tous un air d'enterrement.

Christopher essaya de l'entraîner mais elle le retint.

– Je vous en prie... assez plaisanté. Je ne peux pas me le permettre. Cette soirée est trop importante pour moi. L'imagination est une chose merveilleuse mais n'oubliez pas que c'est aussi la folle du logis; elle n'a pas sa place ici aujourd'hui.

– C'est curieux, mais je n'avais pas du tout le sentiment de parler de fantasmes... Je me sentais comme quelqu'un de très réel, un homme en chair et en os. Etiez-vous trop occupée pour vous en apercevoir?

Bien que mérité, le reproche la blessa.

– Oui, oui, répondit-elle sèchement, j'étais trop occupée.

– Dommage. Vous avez raté une bonne occasion.

– Oh! Christopher, je vous en prie!

Elle s'éloigna avant que la situation se gâte et alla se réfugier dans la sécurité de ses obligations professionnelles.

Jacqueline avait dressé la liste des ventes pour lesquelles Lauren fit les certificats d'expertise et d'authenticité. Il était tard, elle était épuisée. De son bureau, elle entendait les accords du quatuor qu'elle avait engagé pour égayer la soirée. Ce fut avec effort qu'elle rejoignit ce qui restait d'invités.

Elle avait complètement oublié Maxwell Kain et ressentit un choc en l'apercevant debout dans un coin, l'observant froidement remettre à un client une enveloppe renfermant les certificats de vente d'un Andy Warhol. Elle s'approcha de lui.

– Heureuse que vous ayez pu venir ce soir, monsieur Kain.

– L'événement est très intéressant! Mais il y en a tant! Et si peu d'uniques!

Décidément, il n'avait pas perdu l'habitude de gâcher une atmosphère d'une simple remarque blessante. Immédiatement sur la défensive, elle rétorqua :

– Justement, je considère cette soirée comme un événement unique, cher monsieur Kain.

– Oh! j'en étais sûr. Mais voyez-vous, mademoiselle Taylor, ce n'est pas parce qu'une inauguration coûte très cher qu'elle est forcément substantielle! Or seul le substantiel permet de survivre. Vous avez ouvert un commerce de luxe dans une rue qui est le royaume des capricieux... Le caprice va et vient. Curieux que vous ayez jeté votre dévolu sur ce quartier, non?

– Monsieur Kain, dit-elle avec un sourire charmant, dites-vous bien que je ferai une réception tous les ans, que cette réception sera un succès tous les ans et que je me ferai un plaisir de vous envoyer tous les ans une invitation afin que vous puissiez vous mêler à la foule de mes capricieux invités et clients.

Kain sourit, ses lèvres minces s'étirant en une moue de mépris.

– Croyez que je ne quitterai pas ma boîte aux lettres du regard, chère mademoiselle, mais soyez sûre que cela ne m'empêchera pas de dormir.

Il était quatre heures du matin lorsque Lauren ferma les portes de la galerie et souhaita bonne nuit à Jacqueline.

Aussitôt rentrée chez elle, elle se coucha et s'endormit. Le téléphone la réveilla dans son premier sommeil.

– Vous m'avez rendu ridicule, ce soir, hurlait la voix de Riff. Je vous interdis de revoir cet homme.

Votre conduite va me coûter très cher et je vous jure que je vous le ferai payer.

– Je vous en prie, pas de menaces!

– Ce ne sont pas des menaces, ma petite, mais la simple vérité.

Il raccrocha. Dans le silence revenu, Lauren crut entendre le rire sardonique de Maxwell Kain.

Chapitre 7

L'inauguration de la galerie ne fut pas seulement un gros succès mondain, mais aussi un triomphe de presse et de finance. Le téléscripteur ne cessait de transmettre les offres d'achat des agences artistiques de New York, Rome, Zurich et Lisbonne. Lauren examinait scrupuleusement chaque message avant de prendre une décision et de dicter ses réponses.

Les interviews succédaient aux déjeuners d'affaires et les clients de toutes nationalités affluaient. Le téléphone sonnait sans arrêt mais Lauren évitait de répondre elle-même, craignant de tomber sur Riff qui avait rejoint son bureau de Washington le lendemain de l'inauguration.

Lorsqu'un matin Jacqueline lui tendit le récepteur en lui disant que Lloyd voulait lui parler, elle bondit de joie.

– J'ai été très impressionné, lui dit-il, un sourire dans la voix.

– Les chèques pour le Rembrandt et les deux toiles de Reynolds ont été virés à la banque. Dans un ou deux jours, je vous en enverrai le montant diminué de ma commission.

– Non, non, ne virez rien chez moi. Envoyez le tout à Reynolds, ordonna-t-il. Et je désire que vous organisiez une exposition de ses œuvres.

– Ah!

– Quand pourriez-vous le faire?

– C'est que... je ne crois pas que ce soit possible chez moi.

– Vous ai-je bien entendue?

– Reynolds a du talent et vous avez mille fois raison de vouloir le promouvoir. Je serai heureuse de le mettre en relation avec une autre galerie...

– Non, interrompit Lloyd d'un ton impérieux, je veux que cela se fasse dans la vôtre. J'exige le meilleur pour Reynolds. Que se passe-t-il, Lauren?

– Rien, mais je ne peux pas...

Il était inutile de faire des simagrées avec Lloyd. Il connaissait le fond du problème et savait à quoi s'en tenir.

– Voyons, reprit-il, vous n'avez jamais laissé vos sentiments personnels intervenir dans votre vie professionnelle jusqu'à présent. Ce serait une grave erreur de commencer maintenant. Je suis un homme très occupé, Lauren, et le temps que j'ai investi dans notre rencontre n'était pour moi que le prélude à des relations d'affaires suivies. Vous le saviez.

– Excusez-moi, dit-elle... J'ai peut-être répondu trop vite, sans réfléchir...

Poussée dans ses derniers retranchements, elle s'écroula dans un fauteuil, le téléphone toujours à la main.

– Heureux de vous voir redevenir raisonnable, Lauren. Faites-moi savoir rapidement la date choisie pour cette exposition. Ma femme et moi désirons, bien entendu, y assister et nous devons établir notre calendrier de rendez-vous en conséquence.

La communication se brouilla. Ils prirent congé.

Lauren s'enfonça dans une profonde rêverie. Elle entendait encore les menaces de Riff... Mais ce n'était pas tant cela qui la préoccupait que la crainte de voir ses relations avec Christopher prendre une tournure dangereuse pour sa liberté... Certes, elle ressentait un vif besoin de partager une vie sentimentale avec un être qu'elle aimerait, et Christopher lui apparaissait soudain comme la bouée de sauvetage à laquelle se raccrocher. Mais l'amour... elle ne savait pas exactement ce que c'était ni si elle pourrait lui faire une place dans son existence.

Un vieux dicton populaire lui revint en mémoire : Mieux vaut avoir aimé et perdu son amour que de n'avoir jamais aimé.

Mais pour elle, aimer signifiait se soumettre à un moment de folie qui pouvait entraîner suicide, guerre et ruine professionnelle. Bien sûr, l'amour apportait également du bonheur à l'humanité et enrichissait ses arts... mais tout cela était sans commune mesure avec les accidents qu'il pouvait provoquer.

Elle envoya par la poste un petit mot à Christopher et deux jours plus tard il se présenta à la galerie, vêtu d'une superbe tenue sport de style européen qui le transformait complètement. Il avait l'air d'un riche play-boy italien plutôt que du bohémien insolent que Lauren avait rencontré quelques semaines auparavant.

– Vous avez dévalisé les magasins de luxe, à ce que je vois, commenta Lauren.

– Il était temps, non? Trente-deux ans à m'habiller comme un miséreux, cela suffit!

– Vous avez une allure...

– Superbe, hein? Ou, pour être plus modeste, disons que je suis... mieux qu'avant...

– Je dirais... différent!

– Pour ça, oui! Mais j'ai l'impression que je ne vous plais pas tant!

– Oh! Vous savez, l'habit ne fait pas nécessairement le moine, dit-elle avec gentillesse.

Elle sentait confusément que ce changement dans son apparence n'était pas dû au hasard et cachait quelque chose de profond qu'elle n'arrivait pas à définir.

– Votre remarque est intéressante, rétorqua-t-il, surtout quand on sait que l'homme que vous fréquentez s'habille comme un dandy. Je dirais même que le sénateur a gardé la tenue impeccable d'un étudiant de bonne famille qui aurait grandi trop vite, vous ne trouvez pas?

Lauren savait pertinemment que ce qu'il cherchait à savoir n'avait aucun rapport avec la mode mais plutôt avec ses propres sentiments. Il cachait son jeu sous des dehors badins.

– Nous n'avons évidemment pas le même style, lui et moi. Je suis du type continental... tout au moins, c'est ce que m'a dit mon nouveau tailleur qui n'a pas sa langue dans sa poche. Dites-moi la vérité : ai-je l'air d'un guignol?

Ils éclatèrent de rire tous les deux et, au lieu de répondre, Lauren lui tendit les chèques qu'elle avait préparés. Devant l'air surpris du jeune peintre, elle expliqua :

– Votre bienfaiteur se nomme Phillip Whelen Lloyd. Et c'est à sa demande que je vous ai prié de venir me voir.

Cette dernière information parut le décevoir profondément.

– Enchanté d'avoir impressionné ce monsieur, dit-il, le regard sombre.

– Il veut que j'organise une exposition de vos seules œuvres dans ma galerie.

– Bonne idée. Je suis prêt.

Son ton confiant et sûr de lui la surprit.

– Je veux que vous me rendiez riche, ajouta-t-il, et que vous fassiez de moi une vedette, comme vous me l'avez promis.

– Moi qui croyais que vous entriez en peinture comme on entre en religion, sans vous préoccuper de considérations aussi bassement matérielles que l'argent et le succès!

– Ça, c'est ce qu'on dit avant d'y avoir goûté! Aujourd'hui, j'écris l'histoire tout autrement! Je me suis rendu compte que l'argent permet d'acheter beaucoup de choses qui font rudement plaisir : des steaks, par exemple, ou de bons vins et de beaux vêtements. Je me sens un appétit féroce pour tout ce qu'on peut s'offrir dans la vie quand on a de l'argent! J'ai souffert beaucoup trop longtemps, vous comprenez?

Oh oui... elle le comprenait... très bien, malheureusement, et elle se demandait à quoi cela lui servirait!

Pendant les semaines qui suivirent cette aventure, Lauren apprit trois choses : la première, c'était que Lloyd avait l'énergie d'un régiment d'infanterie, la mémoire d'un éléphant et une capacité de travail digne d'un diplômé d'études supérieures. Quant à son sens de l'organisation, elle ne pouvait le comparer qu'à celui d'un général d'armée pendant une invasion.

Il avait décidé de faire de Christopher Reynolds un peintre célèbre et rien ne l'arrêterait tant qu'il n'aurait pas atteint son but. D'ailleurs, Lauren reconnaissait volontiers que Christopher était mûr pour affronter la critique mais qu'il lui faudrait créer de nouvelles œuvres pour l'exposition, ce à quoi Lloyd souscrivait pleinement.

La deuxième chose que Lauren apprit, c'est que tous les artistes géniaux ne sont pas forcément des fous.

Le jour où elle se rendit chez Christopher pour faire un choix parmi les toiles que Lloyd estimait devoir être exposées, il l'accueillit très calmement et la suivit sans chercher à influencer son jugement. Après un examen minutieux de chaque toile, Lauren déclara :

– Il y en a huit qui ont les qualités requises. Pour faire une exposition convenable, il m'en faudra au moins douze autres.

Elle le toisa, prête à affronter toute résistance de sa part. Au lieu de quoi il demanda très tranquillement :

– Combien de temps me donnez-vous ?

– C'est à vous de décider.

– Bon. Eh bien, en travaillant nuit et jour, je pense que je serai prêt dans six mois environ... peut-être même avant. Cela vous convient ?

– C'est très rapide !

– Oui, mais je suis extrêmement impatient !

C'était la première réaction vraiment personnelle qu'elle obtenait de lui depuis son arrivée ce jour-là.

Il gagna la cuisine où Lauren le suivit. Elle le sentait tendu et inquiet.

– Vous n'allez pas vous tuer au travail, dit-elle. Deux ou trois mois de plus ne feront aucune différence. Seul le résultat compte.

– J'ai trente-deux ans, fit-il d'une voix volontairement calme. Croyez-vous qu'à mon âge cela me fasse plaisir de ne pouvoir offrir à une belle jeune femme comme vous qu'une horrible piquette dans des verres à moutarde ?

– Cela m'est égal, répondit-elle en prenant le verre qu'il venait de remplir et qu'il lui tendait.

– Moi, pas !

Son regard glissa le long du corps de Lauren avec une expression indéchiffrable. Il ferma les yeux et vida son verre.

Ils restèrent un moment silencieux, puis Lauren

lui dit qu'elle devait s'en aller. Il n'essaya pas de la retenir. Elle en fut presque déçue mais reconnut que c'était plus sage.

La troisième chose que les circonstances lui enseignèrent la surprit beaucoup. Elle découvrit en effet qu'elle ignorait le fond de sa propre personnalité.

Trois jours après sa visite à Christopher, celui-ci l'appela d'une cabine téléphonique.

– Il faut que vous veniez ici tout de suite, annonça-t-il solennellement.

– Mais c'est impossible! Je ne peux quitter ma galerie en plein milieu de la matinée. Je suis en train de traiter une grosse affaire avec trois inconditionnels de l'art... Je ne vais pas les laisser tomber pour courir chez vous, d'autant plus qu'ils appartiennent à la direction d'une des plus grandes banques de New York!

– Bon. Alors, venez ce soir, sans faute.

– C'est une lubie?

– Non! J'ai besoin de vous voir. Vous viendrez, n'est-ce pas, insista-t-il.

– Oui, oui... et n'oubliez pas votre piquette! J'en aurai besoin après une journée de dur labeur!

Elle arriva chez lui peu après sept heures.

– Les spaghettis sont fichus, annonça-t-il d'un air lugubre en lui ouvrant la porte.

– Désolée...

Elle regarda avec surprise la table qu'il avait dressée. Débarrassée de tout le fatras qui l'encombrait habituellement et de la présence de Cavalier, réfugié dans un coin de la pièce, elle était recouverte d'une nappe rouge et blanc, d'assiettes dépareillées, de serviettes en papier et de bougies allumées dont les petites flammes vacillaient allégrement dans la brise du soir qui soufflait par la porte entrouverte.

Christopher offrit une chaise à Lauren après l'avoir aidée à se débarrasser de sa veste. Ce faisant, il avait laissé sa main s'appesantir un moment sur l'épaule de la jeune femme. Vêtu d'un pantalon jaune clair et d'un pull-over bleu bien ajusté sur sa robuste poitrine, il était très séduisant. Lauren fit semblant d'être captivée par le chat afin qu'il ne puisse lire dans son regard le trouble qu'elle ressentait en sa présence. Il y avait très longtemps qu'elle n'avait aimé... L'inauguration l'avait complètement absorbée, mais maintenant...

– Je ne suis pas habitué à ce travail, dit-il en s'agitant comme un chef cuisinier occupé à préparer un dîner de cent couverts.

– Je ne suis pas venue pour...

Il parut avec un plateau sur lequel fumaient deux assiettes de spaghettis. Il y avait aussi une salade, du pain italien à l'ail et une bonne bouteille de cabernet, et, comble de luxe, il versa ce nectar dans deux verres de cristal.

– Je croyais trouver ici ce soir un artiste suicidaire, pas un maniaque de la casserole!

– On vit très vite à notre époque, dit-il en lui offrant une tranche de pain légèrement brûlée. Il ne faut pas hésiter mais se jeter à l'eau en toutes circonstances et tout risquer sur l'avenir!

– Je m'en souviendrai!

– Cela vous sera peut-être utile.

Il n'y avait pas trace d'humour dans sa voix. Le reflet de la flamme des bougies dans ses yeux était comme deux points d'exclamation célébrant la présence de la jeune femme à sa table.

– A notre aventure! fit-il en levant son verre.

– A votre succès!

Chaque fois qu'elle plongeait son regard dans celui de Christopher, elle se sentait vulnérable et craignait de perdre le contrôle d'elle-même.

– Bon, venons-en aux choses sérieuses. Vous avez des problèmes avec vos toiles?

– Aucun.

– Mais vous...

– Je vous ai menti... oui... Parce que j'avais envie de vous voir et je n'ai pas trouvé d'autre moyen de vous faire venir. J'ai entendu dire quelque part que pour gagner le cœur des femmes, il fallait passer...

– Je vous en prie...

– J'ai peut-être mal entendu...

Il resta un moment silencieux puis demanda doucement :

– Que se passe-t-il en vous? Parfois, je sais parfaitement comment vous allez réagir et puis quelque chose change tout à coup et je ne comprends plus rien...

– Je n'aurais pas dû venir. Si j'avais su que ce n'était pas pour une question de travail, j'aurais refusé. Je regrette d'avoir pu vous laisser croire que...

– Encore un peu de vin?

– Je veux bien...

– Il est excellent, n'est-ce pas? Bien meilleur que le chianti de l'autre jour. Même Cavalier n'en a pas voulu et pourtant il avale n'importe quoi!

De nouveau il l'observa sans mot dire puis murmura :

– Lauren, pourquoi ne pas cesser de nous jouer la comédie? Je suis un artiste, et un artiste pas trop mauvais si j'en crois ce que vous m'avez dit... Cela signifie que j'ai deux yeux qui voient très clair et une intuition qui ne me trompe pas. J'ai l'habitude de sentir ce qui se passe au-dessous de la surface visible des choses. Autrement dit, je ne fais pas que des toiles abstraites... Je peux également m'abstraire de moi-même pour sonder les autres.

– Votre peinture est merveilleuse et...

– N'essayez pas de noyer le poisson et de faire dévier la conversation. Il fallait que nous l'ayons, tôt ou tard, alors mieux vaut en finir maintenant. Puisque nous allons travailler ensemble, autant décider tout de suite sur quel pied danser.

– Travailler ensemble ne signifie pas...

– ... avoir une liaison, c'est ce que vous alliez dire, n'est-ce pas?

Lauren repoussa sa chaise loin de la table et, comme prise d'une soudaine impatience, chercha son sac du regard.

– Il est à la cuisine, fit Christopher, les yeux fixés sur elle.

Il avait l'air de s'amuser.

– Oui, oui, je sais! Je suis le pauvre artiste mal dégrossi qui met les pieds dans le plat et vous êtes la grande dame offusquée par mes vilaines manières, n'est-ce pas? C'est bien le scénario que nous jouons, hein?

Il se leva, fit le tour de la table, la prit dans ses bras. Le rythme du cœur de la jeune femme s'accéléra et une vague de désir la submergea. Mais Christopher s'écarta aussitôt, un sourire moqueur aux lèvres et une légère rougeur aux joues, seul signe révélateur du désir qui l'avait saisi, lui aussi.

– Vous n'avez absolument pas peur de moi, déclara-t-il d'un ton sentencieux. C'est de vous-même que vous êtes effrayée!

Lauren eut l'impression qu'il venait de boucler la boucle et qu'il avait définitivement pris barre sur elle. Elle en ressentit un frisson bizarre, à la fois désagréable et délicieux.

Pour rompre l'atmosphère étrange qui s'était établie entre eux, Christopher décida qu'il avait envie de se promener. Il invita donc Lauren à visiter Venice.

Ils longèrent les canaux bordés de constructions aussi diverses que taudis misérables ou immenses bâtiments de verre et de stuc, dont Christopher qualifia le style de mauresque-californien!

– Vous voyez cet édifice là-bas? demanda-t-il en désignant une énorme structure de verre avec ossature de séquoia, dont tous les angles étaient coupés secs et droits.

– C'est à vous couper le souffle, dit Lauren. On dirait un palais de cristal.

– Pendant la journée, le soleil se reflète dans les vitres du bâtiment. Cela produit un effet de prisme spectaculaire. Et la nuit, quand tout est éteint, la lune flotte dans le ciel et se mire dans la transparence des glaces; on a l'impression de la voir entrer et sortir des vastes pièces de l'immeuble comme par enchantement.

Ils s'appuyèrent au parapet.

– Il doit falloir beaucoup de courage pour vivre dans un endroit comme celui-ci, dit Lauren.

– C'est vrai, répondit-il en regardant leurs ombres à la surface de l'eau. La vulnérabilité n'épargne pas les êtres solides en apparence!

– Qui êtes-vous exactement? demanda la jeune femme sans oser le regarder.

– Je croyais que vous le saviez! En tout cas vous agissez comme si vous me connaissiez parfaitement. Vous semblez vous dire : voilà un homme qui a du talent, qui vit dans son coin pas trop chic, qui fait du vélo pour se donner l'air sportif. La meilleure façon de le traiter est de le laisser dans son galetas avec ses peintures, de lui passer la main dans le dos de temps en temps pour flatter son orgueil et d'éviter toute relation personnelle avec lui.

– Ah! Qui de nous deux est sur la défensive en ce moment? demanda-t-elle avec une assurance que démentait l'impression désagréable qu'elle ressentait devant l'exactitude de ces reproches.

– Moi, en effet. Je déteste l'idée d'être jugé d'après les apparences. Peut-être que ce que vous voyez en moi n'est que le reflet de vos propres peurs!

Elle détourna la tête et murmura :

– Si on rentrait? Il commence à faire frisquet.

Elle serra les bras contre sa poitrine comme pour se protéger du froid et partit rapidement en direction du pont. Christopher la rejoignit, marcha un moment à ses côtés en silence puis s'arrêta à l'ombre d'un saule dont les branches balayaient le sol. Avant qu'elle ait pu esquisser le moindre mouvement de protestation, il la prit dans ses bras et l'embrassa longuement. Son baiser était possessif sans être agressif, brutal sans être violent et plein d'une émotion que Lauren ressentit au plus profond de son être. Elle eut l'impression d'être entraînée dans le tourbillon d'une de ses peintures abstraites et propulsée jusqu'au cœur de son royaume viril et sensuel. Elle sentait contre son corps la dureté des muscles de Christopher. Un gémissement lui échappa lorsqu'il passa la main sur ses seins et envahit sa bouche de sa langue.

La sincérité du moment l'effraya. Un réflexe de défense lui fit repousser le désir qui s'était emparé d'elle et couper court à l'afflux émotionnel qui risquait de la lier à lui au-delà des sensations physiques. Elle s'arracha à son étreinte.

– Non, murmura-t-elle, je ne peux pas.

Il ouvrit les yeux, reprenant conscience de la dure réalité après cet instant de rêve. Lauren l'observait.

– Très bien, dit-il.

Il ne prononça pas un mot de plus. Ils continuèrent à marcher en silence; la tension entre eux devenait presque palpable.

– Nous allons travailler ensemble, alors...

– Oh! Je vous en prie, coupa Christopher avec lassitude, n'essayez pas...

– Cela n'aurait aucun sens de commencer quelque chose qui...

Cette fois, il se tourna vers elle et la saisit aux épaules.

– Quelque chose qui est déjà fini? C'est cela que vous voulez dire? C'est vrai... C'est idiot de ma part d'y avoir même songé. En fait, il n'y a rien entre nous, sauf dans ma tête... La bêtise fait parfois souffrir!

– Ne dites pas de sottises! Vous n'avez rien d'un imbécile! C'est simplement que j'ai une carrière à défendre et que je ne dois pas me compliquer la vie ni gaspiller mon énergie en émotions inutiles ou en distractions momentanées.

– Curieuse expression! dit Christopher avec un rire déplaisant. Des « distractions momentanées »! Vous me prenez pour qui? Un coureur à la recherche d'une bonne nuit d'ivresse? On peut se procurer cela en lisant les petites annonces! Cela ne coûte pas plus cher qu'un steak-frites!

C'était la première fois que Lauren le voyait en colère. Il émanait de lui une puissance intense et vraie qui la fit tressaillir. L'honnêteté brutale de son regard et la brusquerie de ses remarques la déroutèrent.

– Non, poursuivit-il, ce n'est pas moi qui suis stupide! C'est vous, avec votre carrière, votre existence vide et inutile et qui continuera de l'être jusqu'à ce que mort s'ensuive!

– Ma vie est loin d'être vide, protesta-t-elle avec véhémence.

– Vraiment?

Elle le toisa et, avec la même dignité et le même

ton qu'elle aurait adoptés pour parler au pape, elle déclara :

– Je suis profondément désolée que vous ayez mal compris les bases sur lesquelles étaient établies nos relations. Je suis seule à blâmer pour tous ces... désagréments et je...

Il interrompit brusquement ce flot de paroles :

– Bravo ! Vous parlez comme un livre ! Je suis très impressionné ! Mais vous pouvez en rester là, j'ai compris. Nos rapports sont des relations d'affaires, un point c'est tout.

Il l'accompagna jusqu'à sa voiture. Elle baissa la vitre.

– Si vous avez besoin de me parler de votre travail, n'hésitez pas à m'appeler à n'importe quelle heure.

Il lui tourna le dos et ne jugea pas nécessaire de lui répondre.

Chapitre 8

Juillet fut un mois merveilleux pour la galerie. La température à Los Angeles était peut-être suffocante, mais les affaires de Lauren étaient animées. Avec l'aide de Jacqueline qui se chargeait des tâches mondaines, elle put consacrer une grande partie de son temps au développement culturel de la communauté en pleine expansion. Les habitants de la cité californienne témoignaient soudain d'un appétit aussi gros que celui des New-Yorkais pour les arts, le théâtre, le cinéma.

Lauren avait appris que l'argent seul ne peut apporter une réputation durable dans le monde des arts. Il y avait d'autres considérations subtiles à envisager qui, en fin de compte, comptaient bien davantage. L'intégrité morale était la condition suprême pour maintenir son influence ainsi que la disponibilité envers certains éléments de la société. Ainsi, elle avait imaginé de donner des conférences bénévoles à l'université de Californie et dans divers collèges, ce qui lui permettait d'apparaître très souvent à la télévision et d'ajouter un certain prestige à son personnage. En huit mois, elle était devenue une célébrité. Même les touristes étrangers tenaient à visiter la *Lauren Taylor Gallery* et à rencontrer sa jeune directrice connue pour sa beauté, sa distinction, son goût, son intelligence et son indépendance.

Le programme de ses journées ne lui laissait pas une minute de répit. L'excitation de chaque instant lui était aussi nécessaire qu'une drogue et elle était terrifiée à l'idée que le flot de ses occupations pourrait tarir. Elle s'était transformée en une espèce de brasier qui consumait tout sur son passage et la consumait en permanence.

Christopher ne lui avait pas téléphoné depuis leur dernière rencontre à Venice. Elle se félicita d'abord d'avoir refusé d'engager sa vie dans des complications sentimentales. Mais le doute se mit à la travailler et bientôt elle se demanda s'il n'y aurait pas un compromis possible qui leur permettrait de se voir de temps à autre... Oui, bien sûr... peut-être... mais non! C'était un projet absurde qui n'avait pas plus de chance de réussir qu'un bœuf en daube préparé par un cuisinier chinois. De toute façon, le désir physique n'était pas un sentiment valable sur lequel construire des relations solides. De plus, elle ne voulait pas se lier... A aucun prix! C'était dangereux.

Pendant onze ans, elle avait observé les autres femmes ébaucher de beaux rêves... rencontrer l'homme de leur vie, en tomber amoureuses, l'épouser. Et tout s'était toujours terminé de la même façon lamentable : la triste réalité de la vie quotidienne avait fait voler le bonheur en éclats : la cuisine, les enfants, le budget et les lourdes responsabilités familiales s'étaient imposés sans espoir de rémission. Comment ces femmes pouvaient-elles accepter une pareille situation?

D'autres avaient opté pour l'union libre. Au début, les choses allaient à merveille, puis l'euphorie se transformait en déluge de larmes, en lamentations sur le passé et en crainte de n'avoir plus aucune chance de bâtir un avenir convenable.

Et pourtant, les nuits où, malgré la fatigue de la

journée, Lauren ne sombrait pas tout de suite dans un sommeil de plomb, elle revivait le moment où Christopher lui avait embrassé les lèvres et sentait la pression de sa main sur son sein. Elle mourait d'envie de l'avoir avec elle, près d'elle. Souvent elle dormait mal, tourmentée par ces sensations continuellement renaissantes. Le matin venu, elle se traitait de folle, prenait vite son carnet de rendez-vous et s'assurait qu'elle n'aurait pas une minute de battement.

Un soir, après avoir donné une conférence au *Getty Museum* de Malibu, elle arriva à la galerie vers six heures. Jacqueline était en train de ranger la recette de la journée dans le coffre.

– Rien d'important? demanda-t-elle.

– Si, répondit Jacqueline avec lassitude. Sur votre bureau... les messages sont toujours sur votre bureau.

Lauren y jeta un rapide coup d'œil.

– Il n'y a rien, fit-elle.

– Comment? répondit Jacqueline en ajustant ses lunettes pour mieux observer la jeune femme. Vous avez eu des coups de téléphone de New York, de Rome... et un télex de ce peintre... bouddhiste qui est sorti de ses transes et de ses méditations pour vous envoyer le message que vous attendez depuis des semaines! Et vous dites qu'il n'y a rien?

– Excusez-moi, ce n'est pas ce que je voulais dire...

– Je sais exactement ce que vous vouliez dire, fit Jacqueline rapidement, et je crois que nous devrions avoir une petite conversation à ce sujet. Maintenant. Cela fait un mois que j'essaie d'obtenir de vous cinq minutes d'attention, mais vous ne restez pas deux secondes en place. Vous allez à droite et à gauche... comme une chatte sur un toit brûlant. Je suis française, vous savez, et je connais la chanson!

– Quelle chanson?

– Celle du cœur! Alors, soyez honnête... Le problème, c'est ce va-nu-pieds de Christopher, non?

Lauren regarda ses ongles.

– Il ne va plus nu-pieds! Il a gagné assez d'argent pour s'offrir tous les magasins de chaussures de la ville s'il en a envie!

– Vous êtes sans nouvelles de lui depuis un mois, et c'est la raison pour laquelle vous vous croyez obligée de vous démener comme un beau diable de façon à n'avoir pas le temps de penser. Vous recevez des messages de personnalités importantes, qui feraient sauter de joie n'importe quel directeur de galerie. Mais vous, vous dites que ce n'est rien parce qu'il n'y a qu'une seule sorte de communication qui vous intéresse et que vous attendez avec impatience sans oser vous l'avouer.

Jacqueline évita de regarder Lauren lorsque celle-ci murmura :

– Vous savez très bien que j'ai sacrifié onze ans de mon existence pour m'installer dans ce quartier.

– Et alors? Vous y êtes, non? Vous êtes résidente d'une des rues les plus luxueuses de Los Angeles. Que vous faut-il de plus?

– Tant que je n'aurai pas remboursé tout ce que je dois à la banque, je me considérerai comme un hôte de passage. Il faut que je me libère financièrement avant tout!

– Vos recettes sont bonnes! Vous êtes la dernière venue dans ce métier et vous attirez déjà la meilleure clientèle nationale et internationale. Le reste n'est qu'une question de temps.

– Oui, mais je ne veux pas relâcher mes efforts

pour l'instant. Je ne peux me permettre de gaspiller mon énergie.

A ce moment, le télex se mit à crépiter. Heureuse de cette diversion, Lauren se leva et attendit que la machine ait fini d'imprimer le texte. Elle déchira la bande et la tendit à Jacqueline.

– C'est pour vous.

Puis elle ajouta pour compléter ses explications antérieures :

– Ma carrière a été pour moi un vrai mariage. Je m'y suis donnée totalement et je veux réussir.

– Parfait. Mais votre partenaire est plutôt froid!

– Jamais je ne me résoudrai à consacrer mon temps à des histoires de cœur qui risqueraient de me faire perdre ce pour quoi j'ai travaillé pendant toutes ces années! Christopher Reynolds n'est pas homme à accepter les demi-mesures. Ce n'est pas un Riff McIntyre! Il est plutôt du genre à exiger qu'on se donne à lui corps et âme. Il suffit de regarder ses peintures pour le savoir.

Elle s'arrêta un instant, repensant à la première fois où elle avait vu ses toiles chez Lloyd. Puis, l'air songeur, elle reprit :

– Je me perdrais en lui totalement... affectivement et intellectuellement... Oui, je me perdrais...

– Et alors? Qu'est-ce que cela changerait? fit Jacqueline maussade. Vous êtes déjà perdue... et vous le savez.

– Non! rétorqua-t-elle avec défi.

– En tout cas, je vous conseille de ne pas trop attendre pour devenir lucide. Ce Reynolds ne restera pas longtemps tapi à Venice. Pour dire les choses crûment, c'est un homme trop vivant pour demeurer seul dans son coin.

– Je connais Christopher, croyez-moi.

– Eh bien, si vous n'y prenez garde, d'autres femmes découvriront ses talents et n'hésiteront pas comme vous le faites! Elles se l'approprieront et alors... adieu, Lauren! Il ne vous restera que les yeux pour pleurer sur ce que vous aurez bêtement perdu!

Lauren saisit son sac.

– Je ne veux pas me faire de mauvais sang pour autre chose que ma galerie. Je ne supporterais pas de la perdre. J'ai reçu de ma banque, aujourd'hui, une mise en demeure de me présenter dans deux jours devant le conseil de direction avec mon comptable. C'est la seule chose qui m'obsède.

Une autre préoccupation que Lauren dut prendre en considération fut la personne de Riff McIntyre.

Dès son retour de Washington et après une visite à sa famille à Cleveland, il l'avait appelée. Elle avait réussi, sous divers prétextes, à remettre leur rencontre de jour en jour et, cette fois encore, elle lui dit qu'elle passait la journée avec le directeur du *Los Angeles County Museum of Art* et n'avait absolument pas le temps de traverser toute la ville pour venir déjeuner avec lui. Il repoussa cette excuse à sa manière : c'est lui qui se dérangea.

Lorsqu'il la rejoignit vers midi, il avait l'air complètement absorbé par ses préoccupations politiques. Tout en marchant à ses côtés, il ne cessait d'évoquer ses propres problèmes.

– Mes parents, dit-il, ont engagé les meilleurs techniciens de sondages pour analyser les vœux des électeurs. On aura les résultats de ces études tous les quinze jours, ce qui me permettra de connaître très exactement ma cote de popularité.

Lauren le trouva très changé. Son visage s'était creusé et son perpétuel bronzage californien avait disparu. Sa voix était tendue et son habituelle nonchalance – partie intégrante de son charme – avait fait place à une visible nervosité.

Le restaurant où il avait retenu une table se trouvait au-delà du musée, sur le Wilshire Boulevard. En traversant une rue, Riff faillit se faire renverser par une voiture qu'il n'avait pas vue venir. Lauren n'eut que le temps de le tirer en arrière pour éviter le pire. Il ne parut même pas s'être rendu compte qu'il avait couru un danger.

– Vous l'avez échappé belle! Un homme mort se distingue rarement pendant les campagnes électorales! s'écria Lauren.

Il n'écoutait pas.

Le *Egg and I* était à la fois un restaurant, dont la spécialité était les crêpes, et une galerie d'art. L'endroit, toujours bondé et bruyant, était peu propice à une conversation intime.

– Les premières constatations montrent que j'ai un fort quotient de reconnaissance, dit Riff en s'asseyant. Mais il semble que mon image publique laisse à désirer. Jack Stewart et moi-même sommes à égalité dans les sondages. On me considère comme un candidat haut en couleur et très séduisant, mais on ne me prend pas au sérieux. Cela me crée des problèmes dans certains quartiers de Cleveland où les réactions ne sont pas enthousiastes. Il faut donc que je procède à des changements. Je vais d'abord me débarrasser du bateau.

– Hum! Cela paraît très sérieux en effet! fit Lauren sur un ton coquin.

Riff n'apprécia pas l'humour de la remarque. Il poursuivit d'une voix sévère :

– Je vais également m'acheter une maison. Pas à Beverly Hills ni à Brentwood, ni à Bel Air, mais à Santa Monica, tout simplement. Quelque chose d'ordinaire, de bourgeois... sans prétention.

Il prononça ce dernier mot comme si c'était un poison qui lui brûlait la langue.

– Si je veux me faire accepter du public, il me

faudra aussi me présenter avec une femme... et la perspective d'une nombreuse famille.

– Mon Dieu, fit Lauren avec une nuance de mépris, vous oublieriez vos sentiments personnels pour plaire à vos parents et obtenir quelques votes supplémentaires? Vous feriez vraiment n'importe quoi pour vous procurer une place qui...

Il la regarda avec une certaine commisération.

– Il ne s'agit pas d'une place, ma chère. Gagner les prochaines élections n'est pas une sinécure. Vous n'êtes pas idiote, que je sache, et vous savez parfaitement ce que représentent ces consultations primaires avant l'élection présidentielle. Je ne vous crois pas assez naïve pour vous imaginer que je fais cela uniquement pour plaire à mes parents. Ils me rendent des services et, bien entendu, je leur en rends à mon tour, comme le font tous les gens qu'on oblige : nous sommes tous dans le même bateau... C'est comme un grand cercle de personnes qui se tiennent par la main. Si quelqu'un lâche, tout s'écroule, et c'est le chaos.

Les yeux de Riff, habituellement si vivants, s'étaient vidés de toute expression. Son dernier voyage à Cleveland avait dû être une rude épreuve. Pour la première fois, Lauren voyait en lui un être humain littéralement dépossédé de sa propre personnalité et envahi d'innombrables exigences extérieures. Ce n'était même plus la caricature du fantoche qu'il était auparavant, mais un faux absolu.

– Vous ne m'aimez pas, Lauren, reprit le sénateur. Il est donc inutile de faire des simagrées. Nous savons exactement à quoi nous en tenir tous les deux et ce que nous voulons obtenir de la vie.

Il s'arrêta comme s'il essayait de se rappeler un texte appris par cœur.

– On m'a laissé entendre que vous feriez l'épouse

idéale pour un candidat à la présidence des Etats-Unis.

– Non.

Lauren ne jugea pas nécessaire de dire autre chose, tant l'idée lui paraissait saugrenue.

– J'ai bien peur de ne pouvoir accepter votre réponse.

– Et moi, j'ai bien peur que vous n'y soyez contraint. Croyez-moi, Riff, je ne vous épouserai jamais et, d'ailleurs, je ne vois aucune raison de nous revoir.

– Vous faites partie du cercle dont je vous ai parlé tout à l'heure. Vous ne pouvez lâcher maintenant, c'est impossible.

La certitude qu'elle lut dans son regard l'alarma et l'obligea à se poser des questions sur sa propre position. Certes, elle n'avait jamais rien signé qui l'engage vis-à-vis de qui que ce soit, sauf de la banque.

– Je suis totalement libre, Riff! Je suis un agent indépendant.

– Pas tout à fait!

Son regard balayait la salle de restaurant comme s'il y cherchait un appui.

– Je ne dois d'argent qu'à la banque et je fais régulièrement les versements demandés. Je n'ai de dettes envers personne.

L'attention de Riff se fixa de nouveau sur elle. Il se pencha, ses yeux gris la fixant froidement.

– Vous avez accepté l'aide de ma famille. Vous avez profité de son pouvoir et de son influence.

– En effet, vos parents m'ont amené des clients, mais ils l'ont fait pour vous!

– Vous en avez bénéficié.

– Cela ne veut pas dire que je doive leur vendre mon âme!

Riff serra les poings mais sa voix ne quitta pas son registre monotone.

– Ils ont fait un investissement en vous. Il est normal qu'ils veuillent maintenant récolter le bénéfice de leur mise de fonds.

– Désolée de ce malentendu, Riff, fit Lauren en se levant sans avoir touché aux crêpes qui étaient devant elle. Je suis un être humain, pas une institution. Dites bien à qui veut le savoir que je ne paie pas de dividendes sur ma personne.

– Vous y serez bien obligée, ma chère. Vous n'aurez pas d'autre choix.

Si Lauren n'avait pas eu si peur, elle aurait pu s'apitoyer sur Riff. Il avait, en effet, l'air d'un pantin désarticulé dont on aurait oublié de remonter le mécanisme, incapable de goûter aux bonnes choses de la vie.

Elle se dirigea vers la sortie mais il la rappela. Se retournant brusquement, elle rencontra le regard chagriné du sénateur.

– Je vous en prie, dit-il, sachez que, quoi qu'il arrive, il n'y aura jamais rien de personnel dans tout cela.

Elle hocha la tête.

– Evidemment. Il n'y a d'ailleurs jamais rien eu de personnel entre nous.

Larry Fine était le comptable de Lauren. C'était un jeune homme fraîchement sorti de l'école de commerce qui était aussi heureux de l'avoir comme cliente qu'elle de pouvoir compter sur lui pour tenir à la perfection ses livres de comptes.

– Ne vous inquiétez pas, lui avait-il dit en apprenant que la banque l'avait convoquée. Tout est en ordre. Vos livres reflètent la courbe ascendante de vos affaires. Ils ne feront qu'examiner l'état des profits et pertes.

– Mais je ne comprends pas. J'ai toujours versé régulièrement ce que je devais. Cette investigation est-elle normale?

– Franchement, non.

Elle s'habilla avec un soin particulier pour ce rendez-vous : un deux-pièces italien raffiné, à rayures saumon et gris clair, dont le corsage était fermé par un nœud de soie. Elle avait retenu ses cheveux noirs sur la nuque avec une barrette d'argent. Jacqueline la regarda avec admiration.

– Mon Dieu! Vous êtes aussi belle que la reine Victoria! Vous avez l'air de la présidente-directrice générale de la société IBM!

– Trêve de plaisanterie, Jacqueline. Je suis en retard. Si quelque millionnaire se présente en mon absence, vendez-lui quelque chose!

– Je lui offrirai notre meilleur champagne et, s'il le faut, je sacrifierai mon corps...!

– Vous êtes une employée modèle! fit Lauren en éclatant de rire.

Dans la salle de conférence de la banque, calme et froide comme une tombe, le seul bruit qu'on entendait était le ronron de l'air conditionné. Assis à la grande table, le directeur du service des emprunts étudiait un épais dossier. Larry et Lauren prirent place en face du fondé de pouvoir représentant le propriétaire des locaux que louait Lauren... Un cheik d'Arabie Saoudite, à ce qu'on lui avait dit.

Le directeur du service des emprunts leva la tête.

– Votre rapport financier est parfaitement en ordre.

– Pourquoi avez-vous éprouvé le besoin de vérifier mes livres? demanda Lauren sur le ton de quelqu'un qui se sent injustement accusé. Je n'ai aucun retard de paiement et...

– D'après l'accord que nous avons signé, nous avons droit de regard sur vos livres à n'importe quel moment.

Larry Fine faillit se dresser comme un justicier.

– Cette procédure n'est pas habituelle, dit-il. On n'y a recours que lorsqu'il y a faute. Or ce n'est pas le cas.

– Euh... M. Simonton m'a fait remarquer que... son client voudrait voir exécuter une des clauses du contrat de location... celle qui... euh... prévoit la possibilité de réévaluer le loyer sur la base de l'augmentation de la valeur immobilière.

– Dois-je comprendre que le loyer des locaux que loue ma cliente va être réévalué? demanda Larry avec colère.

– C'est cela.

Le banquier n'osait pas les regarder et Simonton avait l'air profondément ennuyé de cette situation.

– Qui a procédé à cette réévaluation? demanda Lauren.

– Notre banque, répondit le directeur.

– D'ordinaire, une réévaluation ne se fait pas sans nouvel apport financier, insista Larry.

– Justement, mon client a une offre d'un éventuel autre locataire. Selon la clause précitée, il peut, soit vendre avec une hausse substantielle, soit augmenter le loyer.

– De combien serait cette augmentation? demanda Lauren.

– Un tiers du loyer actuel.

– Un tiers!

Cette fois, Larry se leva pour de bon et frappa un grand coup sur la table.

– Qu'êtes-vous donc, vous autres banquiers? Des escrocs?

– Allons, allons, calmez-vous! Vous savez très

bien que ce sont pratiques courantes actuellement, fit le fondé de pouvoir. Vous êtes sûrement au courant de ce qui se passe en ville dans le domaine de l'immobilier, non? Nous ne faisons rien d'anormal.

– Ce que je sais, en tout cas, c'est qu'il y a ici quelque chose qui sent mauvais, fit Larry avec colère. Pourquoi avez-vous demandé à avoir les livres si vous ne vouliez qu'augmenter le loyer?

Il était prêt à grimper sur la table et à étrangler les oppresseurs de Lauren. Mais cette dernière l'interrompit et murmura d'une voix calme:

– Tout est parfaitement clair pour moi.

Les visages se tournèrent vers elle.

– Oui. Il n'y a rien là de mystérieux. Vous avez simplement voulu connaître la somme qu'il fallait me demander pour me casser les reins et m'obliger à vider les lieux.

– Vous avez la folie de la persécution, mademoiselle Taylor, s'exclama le directeur.

– Pour être tout à fait franche, monsieur Engel, je vous dirais que je ne vous crois pas capable de penser par vous-même. Vous suivez les ordres qu'on vous dicte.

Le banquier rougit violemment et baissa le nez sur ses papiers.

Lauren se leva, sourit à Larry qui était devenu très pâle et luttait difficilement contre une rage grandissante.

– Que décidez-vous? demanda anxieusement Engel.

Il observait Lauren qui ramassait ses papiers et les remettait tranquillement dans son attaché-case.

– Envoyez-moi la facture, monsieur Engel. Je vous ferai parvenir l'argent du loyer comme d'habitude.

Elle sortit, suivie de Larry.

Dans le parking, celui-ci demanda :

– Je n'ai rien compris à ce qui s'est passé. De quoi s'agissait-il?

– D'une simple demande en mariage, mon pauvre Larry!

– Une demande en mariage! Cela avait plutôt l'air d'un règlement de comptes.

– Que voulez-vous! soupira Lauren. Il y a des hommes qui envoient des fleurs et des bonbons à la femme qu'ils courtisent et qu'ils veulent convaincre de leur sincérité. D'autres préfèrent envoyer... leur banquier.

Mais quand elle se retrouva seule dans son appartement, son sang-froid l'abandonna. Une fureur la saisit et elle fut presque contente de n'avoir plus rien à jeter par terre et à briser.

Oui, McIntyre avait bien joué! Elle connaissait les façons d'agir de cette famille qui fourrait son nez partout. Après leur discussion de l'autre jour, Riff avait mis le sien dans ses livres, et avait trouvé sa vengeance. Il avait donné l'ordre à son banquier de convoquer le fondé de pouvoir de son propriétaire et de les confronter, tout en ayant passé un accord avec ce dernier pour qu'il assiste en silence à la séance qui venait d'avoir lieu, pour que tout ait l'air bien en règle. Bravo, sénateur! Mais rira bien qui rira le dernier.

Riff attendit deux jours avant de l'appeler. Lauren interrompit immédiatement la conversation qu'elle tenait avec un client pour lui parler.

– Je me demande si vous accepteriez d'être mon hôtesse pour une soirée de bienfaisance qui doit avoir lieu à l'hôtel *Bonaventure* le samedi 1er août.

– Est-ce important pour vous, Riff?

– Très.

Elle hésita puis, avec un soupir profond, murmura :

– Bon. Je serai là.

– Croyez que j'apprécie beaucoup. Je vais faire le nécessaire pour que tout soit parfait entre nous.

– Entendu.

Elle raccrocha. Ainsi donc, elle irait au *Bonaventure*... un hôtel ravissant. Il y aurait beaucoup de journalistes... elle se mettrait sur son trente et un.

Le visage de Jacqueline avait viré au gris.

– Ce n'est pas possible, dit-elle à Lauren occupée à calculer le montant des recettes de la journée.

– Mais si!

– Nous ne pouvons pas payer une telle augmentation! C'est de la folie!

– Nous paierons, dit Lauren calmement.

– Comment? Il faudrait gagner encore plus d'argent que nous ne le faisons actuellement... et nous travaillons déjà à plein rendement. Tout le monde ici donne le maximum de son énergie!

– Ne pensez pas en termes d'énergie, mais de charme, d'élégance, de panache. A propos, demain nous irons faire quelques courses pour moi. On verra si votre goût est réellement français ou si vous êtes... un imposteur!

– Vous feriez mieux d'économiser votre argent au lieu de le jeter par les fenêtres pour des babioles!

– Je sais. Soyez gentille d'aller trouver Christopher Reynolds demain matin et de lui dire que son exposition sera avancée à la deuxième semaine d'août. S'il n'a pas le nombre de toiles requis, cela n'a pas d'importance.

– Mais Lloyd...

– Lloyd comprendra. Il m'a dit un jour qu'il me croyait capable de me battre comme un voyou belliqueux! Il ne sera pas étonné de me voir à l'œuvre.

Lorsqu'elle s'assit au fond de la Cadillac blanche qu'il avait louée pour la circonstance, Riff la détailla d'un œil connaisseur. Elle portait une robe longue entièrement rebrodée de perles de nacre et largement décolletée dans le dos. Le tissu léger flottait autour d'elle en vagues gracieuses. L'effet en était aussi raffiné que provocant. C'était la tenue parfaite pour une éventuelle revanche.

Le poste de télévision miniature, à l'intérieur, retransmettait le journal du soir. Riff n'était attentif qu'à une chose : ne pas rater le moment où son nom serait prononcé sur les ondes.

– Lauren, vous êtes superbe, dit-il sans détacher les yeux de l'écran. Jamais je ne vous ai vue plus belle. Cette soirée sera très importante pour nous deux.

Il se pencha et prit une carafe de cristal dans le petit bar de la voiture, versa un verre de sherry et le tendit à la jeune femme. Elle leva son verre et murmura avec un sourire :

– A cette soirée décisive!

– Mes parents sont enchantés que vous ayez accepté de venir. Ils vous considèrent comme une femme extrêmement sensible, ce qui, dans leur bouche, est un grand compliment.

– Une femme n'en reçoit jamais assez.

– Vous ne regretterez pas votre geste, Lauren. Vous êtes maintenant un membre à part entière de notre club. On s'occupera de vous.

Il augmenta le son de la télévision et n'écouta plus que ce que disait le présentateur au sujet du gala de bienfaisance qu'il avait organisé. Il se sentit tellement transporté par les louanges qu'il entendait qu'il prit la main de Lauren et la porta à ses lèvres. Sa bouche était froide. Les doigts de sa compagne également.

La salle débordait de monde lorsqu'ils firent leur entrée avec un retard soigneusement programmé. Un orchestre attaqua une marche de bienvenue et Riff sourit innocemment, comme confondu par l'attention qu'il suscitait. Prenant le bras de Lauren, il gagna le grand dais sous lequel était dressée une longue table. Les flashes des photographes ne les lâchaient pas. Riff s'arrêta plusieurs fois le long de l'allée centrale pour serrer les mains tendues et présenter Lauren. Avec une aisance étonnante, il s'arrangeait pour maintenir avec elle un contact corporel tout en se maintenant face aux caméras.

Lauren joua son rôle avec aplomb. Elle souriait aux invités, à Riff, aux reporters. Elle savait que sa prestation serait commentée dans le dernier bulletin d'informations.

– Continuez à sourire, ma chérie, lui murmura Riff tandis qu'ils prenaient place sur l'estrade. Votre sourire est superbe et vaut toutes les paroles du monde. Quelle classe!

Ainsi fut fait. Pendant tout le dîner et le discours de Riff, elle sourit et continua de même pendant que les journalistes le bombardaient de questions.

– Allez-vous renoncer au célibat, sénateur?

Riff s'inclina davantage vers Lauren et attendit un moment avant de confesser d'une voix attendrie :

– La... euh... pensée m'en est venue...

– Mademoiselle Taylor...?

Lauren fit exactement ce qu'on lui avait ordonné : elle sourit mais ne dit mot.

A la fin de la soirée, Riff la félicita avec enthousiasme.

– Vous avez été fantastique. Grâce à vous, des centaines, des milliers de mes électeurs seront d'accord avec moi. Vous m'avez donné un avantage extraordinaire.

Lauren souriait encore lorsqu'elle s'endormit.

Chapitre 9

Lauren était dans le fond de la galerie, occupée à déballer un lot de peintures arrivé de Vienne ce jour-là. Elle était en jean et tee-shirt et Jacqueline parut surprise de la voir dans cette tenue.

– Enfin! vous avez l'air d'un être humain ordinaire et pas d'une châsse! fit-elle.

Elle revenait de chez Christopher.

– Les apparences sont souvent trompeuses! répondit Lauren.

– L'encadreur m'a fait savoir qu'il peut rentoiler les Childe Hassams en une semaine s'il trouve ce dont il a besoin sur place. Sinon, il lui faudra au moins un mois... et dans un mois, nous ne serons sûrement plus ici!

Lauren lui jeta un regard noir.

– Pourquoi êtes-vous toujours aussi pessimiste?

– Parce que je suis réaliste. Les faits sont les faits. On peut être courageux mais cela ne veut pas dire qu'il faille être téméraire.

– Je vous ai répété mille fois déjà que tout irait bien et qu'on se tirerait parfaitement d'affaire. Pour l'instant, j'ai réalisé ce que je voulais, non?

Lauren savait qu'elle parlait dans le vide, et Jacqueline aussi. Mais que pouvait-elle faire d'autre? S'effondrer? Fermer la galerie sans même lutter? Non. Elle préférait crâner.

– J'ai l'impression de tourner un western, dit Jacqueline. Les méchants nous ont acculées!

– Pas du tout! Nous leur tenons tête au contraire. Comme dans *La Chevauchée fantastique*!

Jacqueline prit un tabouret et s'assit. Elle n'était pas en tenue pour aider au déballage des toiles.

– Je ne me rappelle plus qui a gagné la bataille dans ce film, dit-elle, l'air abattu.

– Moi non plus. Mais les bons sortent toujours vainqueurs de toutes les embuscades.

Lauren finissait de dégager les œuvres d'art et vérifiait soigneusement si aucun dommage ne leur avait été fait durant le voyage. Heureusement, rien n'apparaissait.

– L'exposition de Reynolds fera rentrer un peu d'argent dans nos coffres et nous fournira l'occasion de faire beaucoup de publicité. Alors, attendons.

– Il n'y aura pas d'exposition Reynolds.

Les doigts de Lauren se crispèrent sur le chiffon à poussière qu'elle tenait à la main.

– Qu'est-ce que vous dites?

– Il n'y aura pas d'exposition. Cela n'intéresse plus Christopher.

Lauren jeta un regard autour d'elle comme si la réponse à son angoisse était suspendue dans la pièce.

– Mais cela le rendrait célèbre!

– C'est ce que je lui ai dit.

– Et alors?

– Il m'a répondu qu'il y avait dans la vie des choses plus importantes que la célébrité.

– Ce qui veut dire...?

– ... que nous avons de gros ennuis.

Lauren travailla tard cette nuit-là. Tout en nettoyant et en cataloguant les toiles qui venaient d'arriver, elle laissait son esprit vagabonder ailleurs. Elle pensait à Christopher, à son sourire, à l'ironie de ses yeux noirs quand elle lui avait déclaré qu'ils n'auraient jamais que des relations d'affaires. Et maintenant, même cela lui était refusé puisque Christopher ne voulait plus faire son exposition chez elle. Elle ne s'y attendait pas, mais se rendait compte qu'il ne pouvait en être autrement, étant donné les circonstances. Son attirance pour Christopher créait en elle un terrible sentiment d'insécurité, pire que la peur qu'elle éprouvait à l'idée d'aliéner sa liberté pour l'amour d'un homme. La vérité de sa propre nature s'imposait à elle.

Ne jouait-elle pas à être indépendante? se demandait-elle. Christopher, lui, l'était vraiment, il n'avait pas besoin de faire semblant. Quand il lui avait fait l'honneur d'exposer ses œuvres dans sa galerie, il lui avait en même temps offert son âme. Que lui avait-elle donné en retour? L'encre verte de son contrat et des dollars. Jamais Christopher ne se satisferait d'un si maigre remerciement. Mais peut-être pouvait-elle espérer qu'un jour...

Elle décida de ne pas rentrer tout de suite chez elle, mais de passer voir le jeune peintre à Venice. Elle sauta dans sa voiture sans même prendre la peine de se changer, de se laver ou de se maquiller. En signe de paix, elle offrirait à Christopher la vraie femme qui vivait sous les apparences de la jeune personne mondaine et hautement professionnelle.

Debout devant la porte, elle attendait que Christopher réponde à son coup de sonnette. Il faisait chaud. Un air de jazz retransmis par la radio s'entendait à l'intérieur. La porte s'ouvrit et il la dévisagea longuement. Il tenait à la main une canette de bière et portait le jean taché de peinture qu'elle lui avait vu le jour de leur première rencontre. Torse nu et pieds nus, il eut l'air à peine surpris de la voir surgir sur le seuil de son appartement. Après un lourd silence, il s'effaça devant elle.

– Je me demandais si vous viendriez, dit-il pensivement. Quand on lance un ultimatum, il faut toujours s'attendre au pire.

– En l'occurrence, vous avez gagné, répondit-elle doucement.

Elle fit le premier pas vers lui et il l'attira contre sa poitrine.

– Mon Dieu, chuchota-t-il, j'ai vécu un enfer. J'ai cru que je ne vous reverrais jamais.

Il la regardait comme un affamé. Un nuage passa dans ses yeux et il s'éloigna d'elle, posa la canette sur la table, resta un moment immobile comme s'il réfléchissait profondément. Puis, tout à coup, sa décision fut prise. Il saisit sur la table une coupure de journal et la lui tendit.

C'était une photo de Lauren aux côtés de Riff, prise lors de la soirée de bienfaisance à l'hôtel *Bonaventure*. Elle souriait tandis que Riff la tenait par la taille. Lauren eut honte de voir Christopher contempler ce sourire hypocrite.

– Non! Je vous en prie.

Elle essaya de lui arracher la coupure des mains mais il l'en empêcha.

– Il faut que vous regardiez, Lauren, et que vous pensiez sérieusement à ce que représente pour moi votre présence ici ce soir. Je ne veux pas que ce ne soit qu'un autre de vos éternels défis à l'existence. Cela nous mènerait tous deux au désastre.

– Il n'en est pas question!

– Lauren, je n'ai rien d'autre à vous offrir que mon talent d'artiste et ce qu'il pourra valoir à l'avenir. Ce n'est qu'une goutte d'eau comparé à ce que Riff McIntyre serait en mesure de vous apporter. Ma seule garantie à moi, c'est moi-même, l'homme que je suis et...

– J'avais pressenti tout cela quand j'ai tourné la clef de contact de ma voiture, ce soir.

Ce fut Christopher qui déchira doucement la photo du journal avant de la tendre à Lauren qui la jeta par terre et la piétina.

Alors il la prit dans ses bras et l'embrassa tendrement.

Elle avait si longtemps rêvé de cet instant qu'elle put à peine croire qu'il était enfin arrivé. Elle le regarda et son cœur s'emplit d'étonnement et d'amour. Oui, se dit-elle, je t'aime, Christopher Reynolds, artiste extraordinaire, homme extraordinaire, et je t'aimerai toujours... toujours...

Elle s'agrippa à lui tandis qu'il la soulevait comme une jeune mariée et la portait dans sa chambre à coucher.

– Je suis resté des heures dans ce lit, dit-il en la couchant près de lui, les yeux ouverts à rêver de vous avoir là, à côté de moi.

La lueur de la flamme dansante d'une bougie – seul éclairage de la pièce – faisait des ombres sur son grand corps mince et musclé.

– Et moi, ajouta-t-elle, je faisais le même rêve!

– Enfin, il est devenu réalité!

Il l'embrassa dans le cou, lui ferma les yeux avec de petits baisers. Lauren gémit doucement tandis que leurs corps nus se touchaient pour la première fois.

– Pourquoi avons-nous attendu si longtemps? murmura-t-elle.

– L'un de nous était terriblement entêté!

Il plongea son regard dans le sien. Elle sentait la tension de son corps et son désir soigneusement retenu par respect pour elle. Toute son attitude exprimait combien elle représentait quelque chose de très spécial pour lui.

– Eh bien, cette personne s'est enfin corrigée de ses erreurs, dit-elle en riant. Je suis prête, Chris!

Elle lui caressa l'épaule et répéta:

– Je suis prête, Chris.

Il l'embrassa de nouveau, longuement, passionnément, puis se détourna brusquement.

– Qu'y a-t-il? J'ai fait quelque chose de mal?

Lentement il se retourna et la regarda gravement.

– Non, non... C'est moi... Oh! Lauren, je n'ai rien d'autre à vous donner que moi. Il faut que ce soit... parfait. Je vous dois le meilleur...

Elle sourit et ses yeux s'emplirent de larmes. Pouvait-elle lui dire que, lorsqu'il la regardait, la touchait ou laissait glisser les doigts le long de son bras, de son dos, il allumait le feu en elle? Pouvait-elle lui dire que le son de sa voix vibrait dans son cœur, dans son âme et dans son corps comme la plus douce des musiques? Non! Les mots n'exprimeraient jamais ce qu'elle ressentait. Il fallait trouver un autre moyen de lui faire comprendre.

– Je veux être à vous, murmura-t-elle.

Elle posa tendrement la main sur sa poitrine puis caressa doucement son corps tremblant de fièvre. Ils ne pouvaient plus retenir la soif qu'ils avaient l'un de l'autre. Lauren s'abandonna tout entière à sa passion et les doutes de Christopher s'envolèrent en même temps que son ardeur répondait virilement à l'invite de la jeune femme.

– Mon amour! cria-t-elle lorsqu'ils s'unirent enfin.

Accordant leur rythme, ils s'enivrèrent à la source de leur ardeur et vibrèrent à l'unisson. Ensemble, ils atteignirent les sommets vertigineux du plaisir partagé. Quand le brasier de leur passion se fut peu à peu calmé, ils restèrent longtemps enlacés sans mot dire.

Christopher se redressa légèrement, s'appuya sur son coude et demanda tout bas :

– Est-il trop tôt pour vous dire que je vous aime ?

– Je croyais que vous veniez de me le dire !

– Et vous ? demanda-t-il avec une légère anxiété.

– Oh ! Chris !

Elle l'obligea à s'étendre sur le dos, et roulant au-dessus de lui, posa ses lèvres sur les siennes. Il réagit aussitôt en l'étreignant de toutes ses forces.

– Comment pouvez-vous poser pareille question ? murmura-t-elle.

– Alors, dites-le-moi, insista-t-il. Dites-le à haute voix pour que je l'entende bien !

– Je vous aime... je vous aime... je vous aime... cria-t-elle tout exaltée, riant malgré les larmes qui ruisselaient le long de ses joues.

Et elle ajouta aussitôt :

– C'est de la folie !

Mais elle savait que cette folie était la profonde réalité.

A compter de ce soir-là, Lauren ne cessa de s'étonner des extraordinaires changements qu'elle percevait dans le monde. L'air sentait bon comme jamais auparavant... La musique de Bach ou de Ravel qu'elle aimait par-dessus tout jusque-là prenait une dimension majestueuse. Tout était devenu poésie. Elle vivait dans un nouvel univers clair et lumineux. La vie lui semblait douce et généreuse. Elle ne se posait plus de questions puisque toutes les réponses lui avaient été données en une : le monde était amour.

Pour lui plaire, Christopher avait fait une concession à la technique du XXe siècle : il avait accepté d'installer le téléphone dans son sanctuaire! Ainsi les amoureux pouvaient se parler cinq, six et même sept fois par jour. Ils se fixaient des rendez-vous à la pizzeria, mais le plus souvent leurs plans changeaient à la dernière minute et ils se retrouvaient chez Christopher, partageant langoureusement un amour sans cesse renaissant.

A son retour de Hawaï, en route pour New York, Lloyd s'était arrêté à Century City pour parler à Lauren.

Elle avait apporté une sacoche bourrée de reproductions des peintures que Christopher avait faites pour la future exposition et y avait joint le détail des préparatifs de ce grand jour : liste des personnes invitées, coupures de journaux et pavés publicitaires.

– Vous avez merveilleusement travaillé, Lauren, je vois que vous avez convié tous les meilleurs critiques d'art. C'est parfait. Christopher Reynolds va devenir une célébrité dans le monde des arts.

– Je sais, répondit-elle.

Le seul nom de Christopher ranimait en elle le brasier jamais éteint. Son esprit était plein des souvenirs brûlants de leur précédente nuit.

– Je peux continuer à l'aider, reprit Lloyd. Mais cela signifie que je vous l'enlève.

– Que voulez-vous dire?

– Il va être amené à voyager de par le monde. En Europe, en Orient, en Amérique du Sud... partout! J'ai une proposition de Rome pour un projet pictural important. Il aura des cours et conférences à assurer dans quelques universités de grand renom. Tout cela ne lui permettra pas de rester cloîtré à Venice et de vous voir tous les jours! Il est jeune, bouillant, plein de talent. Il faut qu'il travaille le plus possible sinon la chance lui échappera. Il n'est pas seul sur le marché, vous le savez aussi bien que moi.

– Pourquoi me dites-vous cela?

– Parce que j'ai l'impression que vous pourriez laisser vos sentiments personnels brouiller votre jugement professionnel. Ce serait dommage... pour Christopher surtout. Je vous mentirais si je ne vous disais pas que j'en serais terriblement déçu. J'ai investi une énergie considérable et beaucoup d'argent en jetant les bases sur lesquelles Christopher aura la possibilité de se réaliser pleinement. Je ne veux pas qu'on l'empêche de prendre la place qui lui revient...

– Il est libre de mener sa vie comme il l'entend! s'écria Lauren, enfonçant nerveusement ses ongles dans la paume de ses mains.

Elle baissa la tête, honteuse de s'être laissée aller à ce mouvement d'humeur devant Lloyd.

– Je ne sais pas ce qui va arriver, dit-elle, désemparée tout à coup. Je n'ose même pas y penser.

Elle regarda Lloyd qui la considérait avec un détachement apitoyé.

– Reynolds est un être à part, dit-il. On ne peut agir avec lui comme avec le commun des mortels. Si vous l'empêchez de s'épanouir, il en mourra comme un être privé de respiration. Son art fait partie de lui-même comme l'air qui emplit ses poumons.

– Loin de moi l'idée de le brimer! s'écria Lauren.

Lloyd l'observa un long moment avant de répondre :

– Ne jouons pas à cache-cache, Lauren. Je suis désolé, mais je n'avais jamais imaginé que... cela puisse arriver entre vous, bien que ma femme ait essayé de me mettre en garde dès le début. Je vous croyais trop... préoccupée de votre carrière. Je me souviens parfaitement de notre première conversation. Vous avez beaucoup changé depuis! Mais je ne vous reproche rien et ne vous abandonnerai pas. Simplement, je ne veux pas que vous vous mettiez en travers de la carrière de Christopher. En remerciement du dévouement avec lequel vous vous êtes occupée de son exposition, je vous amènerai d'autres artistes célèbres qui ajouteront à la renommée de votre galerie. Vous pouvez compter sur moi.

– Ne vous inquiétez pas pour Christopher. Les choses s'arrangeront d'elles-mêmes. Il y a toujours des compromis à trouver, des concessions à faire.

Le regard que lui lança Lloyd signifiait clairement qu'elle se faisait des illusions. Christopher et elle seraient comme deux espèces différentes, elle vissée sur place par ses responsabilités envers les artistes et les clients de sa galerie, lui, libre d'ouvrir ses ailes et de s'envoler vers des horizons nouveaux, loin, très loin de l'existence passionnée que menaient actuellement les deux jeunes gens.

Le soir même, en rentrant chez elle, Lauren trouva Christopher en grande tenue.

– Qu'en pensez-vous? demanda-t-il.

Il venait de louer un smoking qui le faisait ressembler à un parfait homme du monde. Pendant un moment, Lauren resta muette et le dévisagea. C'était comme si elle ne reconnaissait pas l'homme qui se tenait devant elle. Il avait le même visage, le même corps, mais il n'était pas le Christopher habituel.

Pour toute réponse, elle jeta son sac sur la table, gagna la cuisine et mit au réfrigérateur la bouteille de vin qu'elle venait d'acheter.

– Hé! fit Christopher, vous avez quelque chose contre le noir? Moi, je trouve que c'est très élégant.

Si je coule demain soir, je pourrai toujours garder ce costume pour mon enterrement.

– Ne dites pas de stupidités! Vous ressemblez à n'importe quel homme qui est allé louer un smoking élégant et coûteux. Notre ville en regorge! Vous serez bien habillé, il n'y a rien d'autre à dire. C'est parfait.

– Eh bien, vous en avez une façon de faire des compliments!

Il la regarda comme un petit soldat engagé dans une guerre à laquelle il ne comprendrait absolument rien.

– Je suis désolée, Christopher. Vous êtes superbe... vraiment! dit-elle tristement. Oui, tout à fait formidable...

C'était là le problème : il était magnifique, réellement, comme un diamant brut devenu soudain un solitaire bien taillé dont l'éclat éclipsait tout ce qui l'entourait. On ne verrait que lui à l'exposition, pensa-t-elle, et elle ne serait pas la seule à l'admirer. Les journalistes, les acheteurs et, par-dessus tout, les femmes s'intéresseraient à lui. Son charme naturel et le côté sauvage de sa nature feraient des ravages, elle en était sûre.

Elle prit soudain conscience de son intense jalousie dont l'aspect possessif et puéril la choqua malgré elle. Lloyd lui avait pourtant clairement fait comprendre qu'une fois lancé sur le marché, Christopher deviendrait un produit public et qu'elle n'aurait plus qu'à se consumer d'inquiétude et de chagrin en silence. Elle n'aurait rien à dire. Une telle honte la saisit soudain devant la mesquinerie de ses sentiments qu'elle n'osa même pas regarder Christopher.

– Que se passe-t-il? fit le peintre en l'obligeant à relever la tête.

– Rien. J'ai eu une sale journée.

– Eh bien, parlons-en, alors.
– C'est inutile.

Elle prit plusieurs inspirations profondes et chercha à se dominer. Pour se donner une contenance, elle alla reprendre dans le réfrigérateur la bouteille de vin.

– Vous venez à peine de la mettre à refroidir! s'exclama Christopher.

– Elle est bien assez fraîche maintenant.

Dans l'armoire, elle prit un verre, se versa une bonne rasade de vin et s'apprêta à boire; mais Christopher le lui prit avant qu'elle ait pu y tremper les lèvres.

– Arrêtez. Dites-moi la vérité, Lauren.
– Bien, bien...

Elle s'éloigna et, après un court silence, déclara :

– J'ai des problèmes à la galerie. Je joins à peine les deux bouts. On a fait des ventes extraordinaires, mais les dépenses sont astronomiques. Vous comprenez, je veux maintenir le standing que j'ai atteint, et cela coûte fort cher. De plus, mon loyer a été augmenté et je passe sans doute trop de temps avec vous et pas assez avec mes clients. Voilà. Je me suis fourrée dans un véritable piège.

Ce n'était qu'une partie de la vérité, mais la lui révéler tout entière eût été vraiment trop humiliant.

– Et si vous laissiez tomber la galerie? demanda Christopher avec précaution.

– Si je...? Mais ce serait la fin de tout pour moi!

– Ah bon? Je ne compte pour rien dans votre existence, alors?

– Vous? Enfin, que voulez-vous dire? Vous êtes là, habillé comme une nouvelle idole du show-business... Vous savez parfaitement que vous allez faire des débuts dans le monde artistique qui transformeront le cours de votre vie. Vous voyagerez beaucoup, à travers le monde entier. Et moi, je resterai ici, avec, pour toute consolation, le plaisir de vous accompagner dans les aéroports et les gares pour y faire de grands signes d'adieu. Alors, je vous en prie, ne me demandez pas si vous comptez dans mon existence.

Il fit un pas dans sa direction et elle eut peur de la colère qu'elle sentait sourdre en lui. Mais il ne la toucha pas. Au contraire, il se détourna, gagna le salon où il prit le temps de contrôler sa rage.

Lauren le rejoignit, regrettant déjà les paroles qu'elle avait prononcées.

– Je suis désolée, Chris. Excusez-moi de vous avoir fait une scène idiote.

Il se retourna lentement, la fixa d'un œil sombre et secoua la tête avec une expression voisine du dédain.

– Je ne vous comprends pas, Lauren. Vous imaginez-vous vraiment que ce qui se passe entre nous est un jeu? Vous pensez que mes sentiments envers vous dépendent de l'état de vos finances? Vous déraisonnez!

Elle ne l'avait jamais vu aussi furieux. Sa voix avait pris les teintes sombres de ses peintures.

– Est-ce réellement ce que vous croyez, Lauren?

– Vous ne faites que débuter, Chris. Vous n'avez aucune idée de ce que va être votre vie!

– Aucune idée? Vous me croyez né de la dernière pluie? J'ai vécu trente-deux ans avant de vous connaître et j'ai quelques principes bien à moi.

– Il faudra en changer si vous voulez réussir! Votre existence va prendre un cours tout à fait différent.

– Je vous aime, Lauren. L'expression est sans

doute usée mais les mots sont nouveaux pour moi.

– Je ne veux pas vous perdre, murmura-t-elle, oubliant soudain tout sentiment d'amour-propre. J'ai si peur, Chris!

Il la prit dans ses bras et la serra contre lui.

– Comment pourriez-vous me perdre?

Il plongea le regard dans ses yeux ruisselants de larmes. Elle ne répondit pas à sa question mais aurait pu lui dire que le monde allait se renverser pour lui. Le pire était qu'elle était à l'origine de ce bouleversement.

Refusant de penser à l'avenir, elle se laissa entraîner jusqu'à la chambre à coucher. Cette nuit-là, elle se laissa aimer avec une passion proche du désespoir, savourant chaque baiser, rendant chaque caresse comme si elle voulait graver ces souvenirs pour l'éternité dans sa mémoire.

Le lendemain, avant de partir pour la galerie, elle passa chez elle changer de vêtements. A peine avait-elle placé la clef dans la serrure qu'elle fut brutalement saisie aux épaules et projetée contre le mur.

– Où avez-vous passé la nuit?

Riff écumait de rage, les yeux rougis par le manque de sommeil, les vêtements fripés, la cravate défaite et le col de chemise ouvert.

– Lâchez-moi, ordonna Lauren en se dégageant avec violence.

Riff recula.

– J'ai attendu toute la nuit. Où étiez-vous? Avec lui, hein?

Il agitait un journal sous son nez et hurlait devant Lauren, interloquée. Il ouvrit rapidement le quotidien et fixa avec dégoût la photo qui s'y trouvait avant de la montrer à la jeune femme.

– C'est ce peintre! fit-il comme s'il voulait mordre. Vous devriez vraiment faire preuve d'un peu plus de bon sens, Lauren.

Sur une des pages intérieures du *Washington Post* s'étalait une grande photo la représentant aux côtés de Christopher. La légende annonçait le vernissage du soir même.

– En effet, répondit Lauren calmement, j'étais avec lui.

Elle se détourna et remit la clef dans la serrure, mais Riff lui saisit le poignet et lui fit faire volte-face. D'une voix froide et coupante, il déclara, les dents serrées :

– Très bien, Lauren. Vous avez pris du bon temps, d'accord. Mais à partir de cette minute, c'est terminé. Fini. Complètement. Compris ?

– Rien ne prendra fin si je ne le veux pas.

– Ecoutez-moi bien, fit Riff en la plaquant contre la porte. Il y a deux semaines, vous étiez avec moi au *Bonaventure* et tous les journaux du pays ont fait paraître des photos du couple que nous formions. Vous connaissez les raisons qui m'ont fait agir de la sorte. Vous savez qu'il était important pour moi qu'on nous voie ensemble.

– J'ai rempli la mission que vous m'aviez assignée : vous aviez besoin d'une hôtesse, j'ai joué mon rôle.

– Non. Pas simplement d'une hôtesse ! D'une image permanente.

– Dans ce cas, mieux vaut pour vous chercher ailleurs parce que rien au monde n'est permanent. Trouvez-vous une femme sculptée dans la pierre !

Elle tenta encore de se dégager mais il pesa de tout son poids sur ses épaules, la clouant sur place.

– Je vous ai envoyé quatre clients la semaine dernière, en remerciement de vos services.

– Vous avez également fait le nécessaire pour que

mon loyer soit augmenté. Pourquoi n'avoir pas renoncé à cette petite mesquinerie si vous m'étiez tellement reconnaissant?

– Parce que ma famille et moi estimions qu'il fallait vous serrer la vis... et nous avons eu raison, ce me semble. Nous tenons absolument à ce que vous et moi continuions à être vus ensemble, car cela consolide mon image publique. C'est un atout dont j'ai besoin pour faire le chemin qui mène à la tête du gouvernement. Au point où j'en suis, ce serait un véritable désastre pour moi de paraître tout à coup au bras d'une autre femme : on me considérerait comme un instable. D'ailleurs, ajouta-t-il sur un ton pointu, ce serait catastrophique pour vous aussi, sachez-le! Alors, ne faites pas l'enfant et n'allez pas vous afficher avec d'autres hommes.

– Il n'y en a qu'un seul dans ma vie! Un seul!

Lauren trouvait de plus en plus difficile de refréner la colère qui l'envahissait devant les méthodes grossières de Riff.

– Et il n'y en aura pas d'autres, vous pouvez être tranquille sur ce point.

– Malheureusement, reprit Riff, actuellement il y en a deux! C'est un de trop.

Il se frappa la paume avec le journal.

– Et vous allez vous arranger pour qu'il n'en reste qu'un le plus rapidement possible... Mieux vaudrait pour vous que ce soit moi. Sinon, je vous jure que je vous écraserai comme une mouche.

Lauren eut un sourire méprisant.

– Oh! Riff... honnêtement, croyez-vous que j'aie besoin de vous pour survivre? J'ai travaillé onze ans pour obtenir ce que je voulais et je l'ai eu. La galerie ne m'a pas été apportée sur un plateau d'argent, je vous le garantis. J'ai fait des efforts et des sacrifices énormes pour arriver à mes fins... toute seule. Vous n'étiez pas là pour mettre votre grain de sel dans mes affaires. Alors, dites-vous bien que j'ai l'intention de continuer de même.

Riff descendit les premières marches de l'escalier à reculons, sans la quitter des yeux.

– Nous viendrons ce soir au vernissage, ma famille et moi, ainsi que quelques autres personnes. Ou vous vous conduirez correctement selon nos conventions, ou je peux vous prédire un krach financier plus terrible encore que celui qu'a connu le pays en 1929.

Vers huit heures, ce soir-là, il y avait à peine la place de bouger dans la galerie. Les invités devisaient gaiement, buvant à petites gorgées un champagne du meilleur cru et grignotant des petits fours servis par des garçons en habit.

– Douze! chuchota Jacqueline à l'oreille de Lauren.

– Vendus?

Avec un sourire entendu et un hochement de tête, la jeune assistante confirma l'information.

Lauren était sur le point de rejoindre Christopher pour lui faire part de la bonne nouvelle, lorsqu'une voix criarde résonna derrière elle. Elle reconnut tout de suite Madeline McIntyre.

– Lauren, je désire vous parler.

– Le moment est mal choisi, fit Lauren en se retournant.

L'expression de Madeline se durcit.

– A votre âge, évidemment, fit-elle d'un air pincé, vous ne savez ni ce que signifie le temps ni l'importance de l'argent par rapport au temps!

– C'est possible, répondit Lauren exaspérée, mais je vais sans doute vous apprendre une réalité que vous semblez ignorer : l'argent ne peut tout acheter! Moi, par exemple, je ne suis pas à vendre.

Madeline blêmit, la dévisagea mais n'ajouta pas un mot.

Lauren partit à la recherche de Christopher. Elle le trouva entouré de journalistes. A côté d'eux, Clarence McIntyre était en grande conversation avec Maxwell Kain qui arborait un sourire satisfait et hochait la tête. Plus loin, Lloyd et sa femme Buffy rayonnaient de plaisir. Lauren se réjouit de les voir si heureux et de penser que Christopher avait été adopté par un des couples les plus riches de l'Amérique.

Lauren portait ce soir-là une robe longue sans épaulettes, en satin rouge vif, dont la jupe était savamment drapée autour des hanches. Un ravissant chignon bouclé, léger mais volumineux, rehaussait la finesse de ses traits. Autour de son cou de cygne, une rivière de diamants prêtée par son amie Keely Saint Martine scintillait de tous ses feux. Lorsque Christopher l'aperçut, il vint aussitôt vers elle et lui posa un petit baiser dans le cou. Au contact de ses lèvres, le visage de la jeune femme s'empourpra et elle lui rendit son baiser avec passion, oublieuse de tout ce qui n'était pas lui. Autour d'eux, les flashes crépitèrent. Lauren cligna des yeux et s'arracha soudain à l'étreinte de Christopher. Au-delà des reporters, elle venait d'apercevoir Riff, Clarence et Madeline debout comme des statues de pierre, la fixant d'un œil réprobateur. Clarence se fraya fébrilement un chemin à travers la foule vers la sortie, suivi de Madeline et de Riff. Avant de franchir le seuil, il se retourna et jeta un regard noir à Lauren.

Jacqueline, qui n'avait rien perçu de ce qui venait de se passer, apparut en haut de l'escalier, faisant le signe de la victoire : toutes les toiles de Christopher étaient vendues.

Une soirée qui ferait date, pensa Lauren.

Le succès agissait sur Christopher comme un

aphrodisiaque. Sa récente sécurité financière et la reconnaissance, par le public et la presse, de son talent lui avaient donné confiance en lui-même. Son magnétisme personnel s'en trouvait décuplé.

Le dimanche suivant la soirée du vernissage, Lauren et lui étaient étendus sur le lit après une longue nuit d'amour. La jeune femme effleurait du doigt la poitrine de Christopher, étonnée de ne pas obtenir une réaction immédiate.

– Je le savais, dit-elle en riant.

– Quoi?

– Que vous vous lasseriez de moi! Mais je ne pensais pas que cela viendrait si vite! Peut-être que si j'avais mangé un peu plus de vos spaghettis, je ressemblerais davantage aux femmes de Rubens que vous adorez. Heureusement que vous n'êtes pas roi, sinon vous me feriez probablement décapiter!

Il lui donna une petite tape sur les fesses.

– Venez ici, grande sotte.

Elle glissa sur lui, toute joyeuse, et lui embrassa tendrement les lèvres.

Parfois, Lauren se sentait tellement comblée qu'elle avait peur. Il était si parfait, si merveilleux! Il l'aimait avec passion mais sans jamais oublier qu'au-delà de la femme qui se donnait, il y avait une personne qu'il admirait. Elle le satisfaisait pleinement et il lui en était reconnaissant.

Un frisson la parcourut comme l'éclair quand elle sentit sous ses caresses sa réaction virile.

– Comment faites-vous pour deviner tous mes désirs les plus cachés? gémit-il. Est-ce que vous lisez dans mes pensées?

– Non, c'est simplement que je veux les mêmes choses que vous, mon amour, et au même moment!

Et c'était vrai. Il n'y avait rien qu'elle ne pût partager intimement avec lui.

– Il faut qu'on reste toujours ainsi, ajouta-t-elle tout bas.

– Toujours ainsi! fit-il en riant. Je ne pourrais pas... Ce serait au-dessus de mes forces!

Là-dessus, il la retourna, se coucha sur elle et embrassa goulûment ses lèvres tout en caressant son corps avec une tendresse et une habileté délicieuses.

Elle se donna à lui tout entière encore une fois, vidée pendant un long moment de toute pensée autre que la passion qu'il allumait en elle. Elle se sentait tellement partie intégrante de sa personne que, lorsqu'ils se séparaient, elle éprouvait presque une douleur physique. Elle se demandait s'il ressentait le même déchirement qu'elle.

Elle lui caressa le dos, trempé de sueur.

– Je déteste quand c'est fini, chuchota-t-elle. Vous le savez?

– Oui!

– J'aime que vous me gardiez longtemps entre vos bras.

– Moi aussi, j'ai horreur de la séparation.

Ils restèrent encore un moment rivés l'un à l'autre. Elle était dans un état de torpeur somnolente lorsqu'il murmura :

– C'est vrai, vous savez. Je suis fatigué. Nous avons besoin de vacances, je crois.

– Des vacances? Séparément?...

Le cœur de Lauren avait cessé de battre, tant elle redoutait le pire.

– Quelle idée! Bien sûr que non! Nous allons partir ensemble.

Le soulagement qu'elle ressentit fut de courte durée. A nouveau la panique la saisit à la pensée de ses obligations professionnelles.

– Mais je ne peux pas! Et la galerie?

– Jacqueline s'en occupera pendant quelques

jours. Lauren, je vous en prie, c'est très important pour moi.

– Bon. Je parlerai à Jacqueline, promit-elle.

Mais, dans son for intérieur, elle se demandait si ce n'était pas là le début de la fin de leur amour, prophétisé par Lloyd et Madeline.

Chapitre 10

D'habitude, Lauren connaissait à un sou près le montant des recettes et des dépenses de la galerie. Mais, depuis sa liaison avec Christopher, sa vigilance s'était relâchée, en partie parce que ses affaires marchaient bien, en partie parce que Jacqueline était une parfaite administratrice. Lauren vérifiait avec elle les livres environ deux fois par mois, recevait les clients importants, assistait aux séminaires hebdomadaires qu'elle organisait à la galerie et se chargeait entièrement des relations publiques.

Pourtant, pendant les quelques semaines qui avaient suivi l'exposition de Christopher, elle avait manqué ses rendez-vous avec Jacqueline, remettant toujours à plus tard les discussions budgétaires.

– Les ventes sont-elles en hausse? demandait-elle en passant à son assistante.

– Oui, mais...

– A-t-on les fonds nécessaires pour payer le loyer du mois prochain?

– Oui, mais...

– Formidable. Alors, on parlera du reste demain.

Elle franchissait allégrement la porte et courait sans s'inquiéter chez l'homme qu'elle aimait.

La réunion promise et remise de jour en jour avait enfin eu lieu.

Lauren s'était assise à son bureau et Jacqueline, debout derrière elle, avait commenté les chiffres.

– Je ne comprends pas, avait dit Lauren. Vous m'avez dit que tout allait bien et...

– En effet. L'exposition de Christopher nous a rapporté beaucoup d'argent, ce qui a permis de faire face à l'augmentation du loyer ce mois-ci et le mois prochain. En dehors de cela, la publicité dont vous avez été l'objet a provoqué un afflux d'acheteurs et les ventes faites aux institutions nationales nous assurent un équilibre non négligeable. Cependant, comme vous le dites, il y a quelque chose qui cloche.

Lauren avait analysé les colonnes de chiffres, cherchant à cerner le problème.

– C'est curieux, mais rien ne semble bouger en ce qui concerne nos clients et nos artistes habituels. Nous n'avons pas eu de demandes d'exposition ni fait de ventes...

– J'ai bien ma petite idée, avait répondu Jacqueline, l'air sombre et préoccupé.

Elle avait alors quitté le bureau pour revenir quelques minutes plus tard avec deux journaux et le dernier numéro du *Los Angeles Magazine.*

– Dites que je suis trop méfiante... avait-elle marmonné en les tendant à Lauren.

La jeune femme avait parcouru les rubriques artistiques et mondaines du *Times* et de l'*Examiner*. On y parlait de trois galeries rivales qui avaient donné des cocktails les mois précédents pour les expositions de leurs artistes, dont aucun n'avait plus de talent que les habitués de Lauren. Elle nota cependant que plusieurs de ses plus fidèles clients y avaient assisté et avaient acheté des toiles à ses concurrents. Dans le *Los Angeles Magazine* s'étalait une photo de Riff flanqué de deux de ses clients, assistant à une représentation théâtrale donnée au profit du *Los Angeles Music Center.* Aucun des deux personnages en question n'avait remis les pieds dans sa galerie depuis le vernissage de l'exposition de Christopher.

– La barbe! avait fait Lauren en repoussant les journaux d'un air dégoûté.

– On se monte peut-être la tête! Ce sont sans doute aussi des amis de Riff, avait murmuré Jacqueline. Pure coïncidence...

– Bien sûr, bien sûr! Comme le bombardement de Pearl Harbor!

– Que va-t-on faire?

– Redoubler d'efforts dans le domaine des relations publiques et lancer quelques invitations à déjeuner d'abord. Ensuite, faire une grande réception.

– Il vous faudra trouver un artiste de première qualité! Ce n'est pas facile de prendre la suite de votre Christopher.

– Je sais. Que diriez-vous de notre Italien... le mystique? Il est aussi pittoresque qu'excellent.

Dans les yeux de Jacqueline, une lueur d'espoir était revenue.

Dès le lendemain de cette discussion, Lauren appela quatre de ses anciens clients qui d'ordinaire sautaient sur l'occasion de déjeuner avec elle : un seul accepta.

Nigel Croup était un Anglais d'une cinquantaine d'années qui portait comme une croix son destin d'ancien membre de l'aristocratie ruiné. Lauren continuait à le voir, non dans l'espoir de le voir lui acheter quelque peinture, mais parce qu'il avait une connaissance inégalable des milieux mondains et des bruits qui y couraient. Rejeté d'un monde qu'il rêvait de rejoindre, il tournait en rond à l'extérieur du cercle des nantis sans perdre un instant de vue les rouages de cette jungle. Lauren n'imaginait pas hôte plus indiqué pour déjeuner avec elle ce jour-là à l'hôtel *Windsor*. Quant elle pénétra dans le restaurant, il était déjà en train d'observer l'entrée de quelques-uns des citoyens les plus riches de la cité. Il jubilait.

– Mais, ma chère petite, dit-il avec exubérance lorsqu'elle s'assit près de lui à la table qu'elle avait retenue, vous êtes le nectar de notre région!

Pour le lui prouver, il lui porta un toast. Lauren sourit.

– Comment expliquez-vous alors que lorsque j'invite trois de mes vieux amis à déjeuner, aucun n'est libre sauf vous?

– Qui sont-ils? demanda-t-il tout émoustillé, heureux de pouvoir se livrer à son passe-temps favori.

– Charlotte Hemming, Lawrence Rait et Kenneth Pentello...

– Ah! Eh bien, je vais vous dire... Voilà, Charlotte Hemming a hérité récemment d'une somme rondelette de son quatrième mari. Elle l'a placée dans une société...

– ... patronnée par les McIntyre, n'est-ce pas?

Nigel hocha la tête.

– Lawrence Rait, voyons... Ah oui! Pauvre, pauvre Larry! Il a perdu à peu près toute sa fortune dans un projet de propriété foncière dans le désert. Les McIntyre ont réuni des fonds pour lui permettre de prendre un nouveau départ. Il a de la chance car, même s'il s'agissait des marais de la Louisiane, il aurait toutes les chances de réussir avec un tel groupe à ses côtés. Quant à Kenneth Pentello dont la carrière de chanteur est en net déclin, les McIntyre usent de leur influence pour lancer sa fille dans le show-business. Elle n'a pas une once de talent, la pauvre petite, mais...

– Merci, Nigel.

– Tout le plaisir est pour moi. Ces escrocs méritent bien qu'on étale leur linge sale au grand jour! Songez qu'aucun d'eux n'a eu la courtoisie de m'inviter pour un repas!

– Voulez-vous un dessert, Nigel?

– Oh oui! Et peut-être aussi une invitation à votre prochaine réception.

Lorsque Lauren regagna la galerie, Jacqueline la suivit dans son bureau.

– Eh bien? fit-elle.

– Nous sommes encerclées par les Indiens et nos renforts sont coupés!

– Pas tous! répondit Jacqueline. Notre Italien passera.

– Vous le tenez?

– Oui! Le seul, l'unique Mario Marcusso arrivera trois jours avant le vernissage. Ses peintures seront ici une semaine à l'avance. Il a décidé d'habiter dans le monastère zen de notre ville parce qu'il est terrifié à l'idée que son salut éternel puisse être retardé de trois vies s'il reçoit les vibrations néfastes des pécheurs impénitents. Heureusement que l'argent américain en dégage de bonnes! Il veut également choisir lui-même la date de l'exposition parce que le vernissage doit impérativement avoir lieu un soir de pleine lune. Il a beaucoup insisté sur ce point. Autrement dit, il ne nous reste que deux semaines et demie pour tout préparer.

Lauren s'assit à son bureau et se mit à griffonner des noms sur son bloc.

– Je tiens à ce que toutes les personnes de quelque importance soient invitées, ainsi que celles qui n'en ont pas encore mais qui pourraient en acquérir rapidement. La bonne volonté est notre principal atout.

– L'atout majeur qui nous manque, c'est l'argent! bougonna Jacqueline.

– Je sais. On va économiser au maximum sur tous les plans de façon à pouvoir réaliser une soirée décente. Si nous n'obtenons pas de bons résultats à la suite de ce vernissage, alors il sera inutile de continuer à se tracasser pour l'argent : on n'aura plus qu'à fermer boutique.

Lauren était allée retrouver Christopher et, pour la énième fois, ils discutaient de vacances.

– Je vous en prie ! Essayez de comprendre. Je ne peux pas m'en aller maintenant.

– Je croyais que la galerie marchait bien !

– Mais oui !

– Alors pourquoi ne pouvez-vous vous absenter ?

Elle ne se décidait pas à lui dire la vérité. C'était trop humiliant d'avoir à lui révéler le désastre financier auquel elle devait faire face. De toute façon, elle ne pouvait pas parler de ses problèmes sans mentionner la part de responsabilité de Riff McIntyre et elle avait peur des réactions de Christopher s'il découvrait le fond de son malheur. La vie du jeune peintre venait de prendre son essor ; elle l'aimait trop pour gâcher sa joie. Mais son refus de partir provoqua leur première querelle.

– Vous êtes vraiment trop obsédée par votre travail, Lauren.

– Non ! J'y suis simplement terriblement attachée.

– Moi aussi ! Mais je sais m'arrêter de temps à autre. Je suis un être humain d'abord, un homme qui a le droit de vivre.

– Eh bien, vivez ! Qui vous en empêche ?

Ces derniers mots l'avaient mis en rage. Il était parti en claquant la porte et elle l'avait attendu pendant des heures. Mais il n'était pas revenu.

Le lendemain, il n'avait pas téléphoné. Le surlendemain, elle avait cédé et appelé chez lui. Aucune réponse. Toute la journée elle était restée vainement pendue au téléphone. Brusquement, la jalousie la saisit et elle l'imagina dans les bras d'une autre femme. Sans doute faisait-il exprès de ne lui donner aucun signe de vie. Finalement, elle prit peur et crut qu'il lui était arrivé un accident.

Elle annula un rendez-vous important au *Getty Museum* et se rendit à Venice. Ce qu'elle y trouva la figea sur place : l'appartement de Christopher était vide. A demi folle d'inquiétude, elle courut à son atelier. Il n'y avait personne et, pis encore, toutes les toiles avaient été déménagées.

Après ce coup, elle se sentit incapable de travailler. Elle rentra chez elle et appela Jacqueline pour lui dire qu'elle ne viendrait pas ce jour-là à la galerie.

– Vous avez l'air dans tous vos états! s'était exclamée la jeune assistante.

– Aucun appel de Christopher?

– Non... aucun.

Lauren raccrocha et passa une nuit épouvantable à guetter le bruit de la clef de Christopher dans sa serrure ou la sonnerie du téléphone. Mais rien... rien que le silence.

Plus morte que vive elle dépouilla son courrier le lendemain matin. Une des enveloppes venait de Venice et portait son adresse écrite à la main. Le cœur douloureux, elle l'ouvrit, pensant y trouver une invitation à une réception quelconque ou une demande de soutien d'une entreprise de charité. Or elle trouva une feuille de papier Canson sur laquelle était soigneusement dessinée la maison qu'elle et Christopher avaient mille fois admirée en passant sur le canal. Dans un coin, écrits en lettres d'imprimerie, il y avait une date et ces mots : *A sept heures précises.*

Christopher l'observait avec attention. Il s'était habillé pour la recevoir : une veste de velours lie-de-vin d'une coupe élégante et masculine, une chemise d'un rose très pâle.

– Je n'arrive pas à en croire mes yeux, fit Lauren.

Elle pivota lentement, regardant, l'air ahuri, le superbe mobilier moderne du salon où elle venait de pénétrer. En face d'elle, un mur de verre donnait sur le canal où se reflétait le soleil couchant. Le ciel était strié de pourpre et d'orange. De l'autre côté de l'eau scintillaient les lumières des maisons.

– C'est incroyable...

Elle sourit à Christopher qui se détendit immédiatement, heureux comme un petit garçon qui fait admirer son nouveau jouet.

– C'est vrai, n'est-ce pas? C'est fantastique!

– Mais comment avez-vous...?

– Les propriétaires sont en Amérique du Sud. Alors je leur ai loué l'appartement pour quelques mois... six au moins. Ce sera donc notre maison.

– La nôtre?

– Evidemment.

Ils n'avaient toujours pas reparlé de leur désaccord. Tout à la joie de recevoir de ses nouvelles, elle avait oublié l'incident. Mais voilà qu'un seul mot faisait resurgir le problème.

– Mais j'ai mon appartement, dit-elle.

– Vide, oui! Mais ce n'est pas ce que vous voulez dire, n'est-ce pas?

– Non, en effet.

Elle regarda le canal dont l'eau était devenue rouge sang comme le ciel qui s'y mirait. Christopher lui effleura l'épaule et murmura :

– A table.

Une sorte de déception transparaissait dans sa voix. Elle lui avait gâché son plaisir.

Elle le suivit dans la cuisine où il se mit à découper un canard rôti sans mot dire. Prenant un plateau d'argent sur le chauffe-plats, Lauren le porta à la salle à manger.

– Oh non! fit-il en le lui retirant des mains. Il n'en est pas question. Vous êtes mon invitée.

Il alla lui-même poser le plateau sur la table. Lauren resta debout dans la cuisine, les bras ballants.

– Je ne veux pas être une invitée.

Christopher avait frotté une allumette et allumait les bougies. Il leva les yeux comme s'il doutait de ce qu'il venait d'entendre. D'un petit air décidé, Lauren prit un bol et le porta dans la pièce voisine. Après quoi, elle revint chercher les bougies.

Alors il l'attira vers lui et l'embrassa – tendrement d'abord, puis avec insistance. Mais elle se dégagea doucement.

– Vous ne croyez pas qu'on ferait mieux de manger?

– Honnêtement, non!

Cette nuit-là, il l'aima d'une manière différente. Ou peut-être avait-il profondément changé.

Couchée sur le dos dans le grand lit, tandis qu'il respirait calmement à ses côtés, elle regardait le mince croissant de lune argenté. La chambre était au deuxième étage, personne ne pouvait voir ce qui s'y passait quand les lumières étaient éteintes. Ils n'avaient donc pas jugé utile de tirer les rideaux. Il l'avait aimée avec douceur et une attention patiente. Jamais auparavant elle n'avait pleinement pris conscience qu'elle s'était offerte presque comme un cadeau. Il était l'homme qu'elle désirait, l'artiste qu'elle admirait. Mais elle ne parvenait pas à oublier que, par le passé, il avait été un homme pauvre, un talent méconnu; auprès de lui, elle avait joué les grandes dames à la générosité un peu condescendante. Tout était changé à présent.

Elle observa le beau corps endormi : il était vraiment superbe, incroyablement parfait. Elle tendit la main pour le toucher mais retint son geste de crainte de le réveiller. Une larme de bonheur roula sur sa joue. Oui, elle le protégerait encore. Elle se battrait pour que cet homme puisse réaliser ses rêves.

Il remua, ouvrit lentement les yeux et esquissa un sourire lorsqu'il s'aperçut qu'elle avait les yeux fixés sur lui.

– Venez, dit-il en l'attirant dans ses bras.

Le simple contact de sa main provoqua en elle une onde de chaleur. Il en était toujours ainsi, d'ailleurs : elle ressentait tout de suite le désir d'être possédée par lui, de se sentir habitée par lui jusqu'à l'âme.

Et pourtant, un frisson d'alarme la parcourut : elle ne voulait pas qu'il devienne son maître. Des pensées confuses prirent le pas sur ses sensations physiques.

– Qu'est-ce qui ne va pas? demanda-t-il aussitôt, essayant de lire sur son visage.

– Rien, rien...

Elle l'embrassa et se serra contre lui, feignant une passion qu'elle n'éprouvait pas pour l'instant. Il la repoussa légèrement.

– Ce n'est pas la peine d'essayer de me tromper... Il y a quelque chose.

Inquiet, il s'assit et la regarda.

– Vous n'avez pas besoin de vous forcer, vous savez, si vous ne voulez pas... Je n'ai jamais rien exigé sur ce plan et je comprendrais très bien que vous ne...

– Mais je veux! Oui, je veux! Et j'ai besoin que

vous soyez exigeant avec moi. C'est ce que j'aime! cria-t-elle.

Elle se blottit dans ses bras, lui embrassa l'épaule, le cou, la poitrine.

– Vous m'avez convaincu, fit-il en riant.

A nouveau, ils s'unirent et, comme chaque fois qu'elle se donnait à lui, elle atteignit les sommets de l'extase. Pourtant, dans son for intérieur, une petite voix essayait de se rebeller et lui conseillait de s'arrêter avant de se noyer complètement en lui.

– Chris, commença-t-elle...

Mais sa protestation mourut sous l'ardeur de ses caresses.

– Je vous aime, dit-il, je vous aime!

– Chris, reprit-elle, je veux que vous sachiez...

– Oui?

Mais de nouveau il lui fit perdre toute notion de la réalité. Elle ne se rappelait même plus ce qu'elle voulait lui dire. Cela avait un rapport avec l'envie d'être indépendante... maîtresse de son destin... mais elle n'en était pas sûre. Contractant ses muscles, elle se cambra sous lui et s'abandonna à son désir.

Liés l'un à l'autre, ils dormirent longuement. La sonnerie du téléphone les réveilla.

Lauren ouvrit les yeux et eut l'impression d'être dans une chambre étrangère. Elle vit Christopher se lever, un peu vacillant, et se rappela les détails de leur nuit d'amour.

– Allô!... Oui...

Il tenait l'appareil d'une main, et de l'autre saisit son tee-shirt.

– Oui... oui... Je vous entends très bien... Jeudi prochain? Certainement... Dans le courrier, entendu. C'est parfait... Non, je vous en prie.

Il se tourna vers Lauren avant même d'avoir raccroché et s'écria :

– C'était Vincent Pirelli. Il veut que j'aille à Rome.

Lauren hésita, puis murmura :

– C'est merveilleux, Chris. Je vous l'avais bien dit, non, que vous deviendriez une vedette ?

Elle se glissa hors du lit et gagna la salle de bains dont elle ferma la porte. Elle s'aspergea le visage d'eau froide. Vincent Pirelli était un grand connaisseur en art, moitié collectionneur, moitié mécène. Il avait du flair et aimait découvrir de jeunes talents qu'il aidait ensuite à se faire connaître.

Ainsi, pensa Lauren, le génie de Christopher n'était plus ignoré dans le monde ! Les nouvelles voyageaient vite ! C'était normal, d'ailleurs, elle le savait... comme Lloyd et Madeline... Tout arrivait comme prévu. En fait, ce coup de téléphone n'était que le commencement d'une nouvelle vie où ils seraient séparés.

Quand elle revint dans la chambre, Chris était habillé.

– Je veux que vous veniez avec moi à Rome.

Elle rit.

– C'est ridicule, voyons !

– Pas pour moi !

– Chris, nous n'allons pas recommencer à discuter. Je vous ai déjà dit que je ne pouvais m'absenter pour l'instant.

– En fait, vous ne le pourrez jamais !

– Il m'est impossible d'abandonner mon travail pour vous suivre à travers le monde.

– Il ne s'agit que d'un seul voyage !

– Non.

Assez étrangement, Christopher renonça à la convaincre et se plia à sa volonté.

Elle apporta chez lui ses affaires personnelles car il tenait à ce qu'elle considère la maison comme la sienne. Elle garda cependant son appartement comme le symbole de son indépendance.

Pendant quelques jours, ils jouèrent au maître et à la maîtresse de maison, sachant très bien que ce n'était qu'un faux-semblant. Ils s'aimèrent devant la cheminée du living où brûlait un feu de bois. Christopher s'ingénia à préparer de bons petits plats qu'ils dégustaient ensemble avec des mines de gourmets et Lauren fit quelques entorses à son emploi du temps pour passer avec lui la plus grande partie de ses journées.

La lettre de Pirelli était arrivée à la fin de la première semaine de leur installation. Dès cet instant, Lauren sentit de façon presque tangible que Christopher glissait hors de sa vie.

Pirelli avait donné l'itinéraire complet du voyage en Italie : il y aurait des réceptions, des interviews, des visites de musées un peu partout. Un séjour à Florence était prévu afin de rencontrer un autre peintre que protégeait le mécène, et des directeurs de galerie ainsi que des agents artistiques italiens.

Souvent, après l'amour, Christopher racontait à la jeune femme ses plans d'avenir auxquels il la mêlait intimement. Elle abondait toujours dans son sens :

– Oui, nous achèterons notre maison... Oui, nous parlerons mariage quand vous serez bien établi... oui... oui...

Mais, dans son cœur, le mot « non » résonnait tristement. Elle s'était déjà retirée de sa vie, il n'y avait aucun espoir pour eux. L'amour pouvait vaincre nombre de problèmes mais pas survivre à une situation où deux êtres se trouvaient prisonniers de positions inconciliables. Aujourd'hui, c'était un voyage en Italie qui les séparait, plus tard ce serait un séjour à Paris ou ailleurs. Lauren était bien placée pour savoir ce qu'était une carrière de peintre en vogue.

Elle le conduisit à l'aéroport et ils s'embrassèrent une dernière fois devant la porte d'embarquement.

– Je vous appellerai, promit-il.

Il lui fallut attendre une longue semaine pour qu'elle ait de ses nouvelles.

– Lauren, c'est fantastique, c'est incroyable... impensable... Je vous en prie, venez me rejoindre.

– Impossible, Chris! La galerie...

– Je reste quinze jours de plus, alors...

Lauren eut l'impression qu'il n'était pas trop décu de sa réponse.

– Très bien, dit-elle. Amusez-vous et téléphonez-moi quand vous connaîtrez la date de votre retour.

Son nom parut dans diverses revues d'art et dans les rubriques culturelles de plusieurs journaux. Elle tomba même sur sa photo dans un périodique italien qu'elle reçut par la poste. On le voyait avec Pirelli et une superbe jeune Italienne, protégée de Pirelli elle aussi.

– Cela ne veut rien dire, murmura Jacqueline lorsqu'elle remarqua l'air tourmenté de sa directrice devant le cliché.

De toute façon, Lauren avait des problèmes plus importants à régler pour le moment. Le peintre italien Mario Marcusso venait d'arriver. Il était étrange, difficile à comprendre : ainsi, il passa la veille du vernissage à psalmodier dans la galerie afin d'éloigner les forces néfastes. Chose curieuse, l'atmosphère parut plus légère quand il eut terminé ses incantations. Pourtant, vers dix heures, le soir du vernissage, l'humeur était plutôt morose. Tous avaient des mines d'enterrement. Malgré les invitations envoyées au gotha du monde artistique, aux clients les plus éminents et aux critiques les plus renommés, peu de gens s'étaient dérangés.

– Je n'y comprends rien, s'était écriée Jacqueline.

– Moi non plus, fit Lauren qui cherchait désespérément à reconnaître parmi les rares personnes présentes les visages de ceux qu'elle attendait.

Marcusso était fou de colère.

– Qu'est-ce que cela veut dire? avait-il crié en bondissant dans le bureau de Lauren comme un diable sortant de sa boîte. Les gens qui sont là sont des rien du tout! On m'avait pourtant affirmé que vous saviez organiser un vernissage!

Il marchait de long en large, l'air très agité.

– Je croyais que votre âme était en paix et que vous vous laissiez porter par les événements, dit Lauren pour le calmer.

– En général, oui, mais aujourd'hui, c'est autre chose. Je veux de l'argent, du bon argent en espèces sonnantes et trébuchantes!

Sur ces entrefaites, Nigel Croup pénétra dans le salon.

– Désolée, fit Lauren en le rejoignant, personne n'est venu!

– Ah! Pardon, je suis là! Est-ce que je compte pour du beurre?

Son œil avide parcourut la pièce.

– Mon Dieu! C'est un vrai désastre!

– Oui! Un naufrage!

– Ils doivent tous être... là-bas!

Pendant un instant, Lauren ne comprit pas ce que voulait dire Nigel, puis, brusquement, la lumière se fit dans son esprit.

– Vous voulez dire... à la *Latham Galerie*?

Nigel hocha la tête.

– Pourtant le type dont ils exposent les toiles ne vaut pas grand-chose! C'est une honte! s'écria Nigel. Vraiment, Lauren, vous devriez tout faire pour arranger vos rapports avec le sénateur. Il n'aime pas qu'on lui tienne tête!

– J'avais remarqué!

– Comment sont les petits fours?

– Abondants, comme toujours.

– Ah! fit Nigel avec un soupir satisfait, l'échec a heureusement ses compensations.

Ainsi la soirée s'était transformée en débâcle et, lorsque Lauren ferma la galerie avec Jacqueline, elle était désespérée. Jacqueline ne fit aucun commentaire.

De retour à la maison, Lauren se changea et s'assit sur la terrasse qui dominait le canal. Il était environ deux heures du matin. Aucune lumière ne brillait; l'eau était noire et la lune se cachait derrière de gros nuages. Des canards, voyageant par groupes compacts, se laissaient porter par le courant et glissaient comme des ombres. Le monde dormait. Mais elle était incapable d'en faire autant.

Le jeu de Riff était clair : il avait convié toute la critique et la clientèle huppée à la *Latham Galerie* afin de saboter délibérément son exposition à elle. Mais comment s'y était-il pris pour empêcher tous les critiques d'art de venir chez elle? Ils étaient indépendants, toujours impatients de découvrir de nouveaux talents. Ils arrivaient en général par groupes compacts aux expositions, non par esprit de camaraderie, mais par sentiment d'insécurité. Ils s'observaient mutuellement, inquiets de voir l'un d'eux se détacher des autres. Mais, comme dans tout groupe, ils avaient un leader; à Los Angeles, c'était Maxwel Kain... qui s'était abstenu de venir ce soir-là à la *Lauren Taylor Galerie*.

Une petite lumière s'alluma dans la maison d'en face, comme un phare dans la nuit. Presque instantanément, une idée surgit dans l'esprit de Lauren :

Maxwell Kain devait être en train de préparer son article sur le peintre de la *Latham Galerie.*

Lentement, elle se leva et rentra dans la maison. En montant l'escalier qui menait à sa chambre, elle reconstitua pièce par pièce le puzzle qui occupait sa pensée. D'une façon ou d'une autre, Riff avait manipulé Maxwell Kain. Elle ne savait pas comment, mais c'était la seule explication à l'absence de tous les autres ce soir à son exposition. Où Kain allait, ils se rendaient. Donc, il n'était pas douteux que, si Riff avait obtenu ce premier résultat, il avait également fait le nécessaire pour que l'article de Kain soit élogieux et parle du peintre sans talent exposé à la *Latham Galerie* en termes admiratifs; à sa suite, chacun en ferait autant. Le coup était classique...

Certes, Lauren pouvait lutter contre Riff sur le plan social et mondain, mais si elle n'avait pas l'appui de la critique pour aider à la publicité de sa galerie, elle n'avait plus qu'à fermer boutique : les ventes baisseraient et les artistes iraient exposer ailleurs. Or, pour l'instant et avant d'avoir pu se faire une réputation internationale, elle dépendait entièrement du commerce de la côte Ouest, étroitement lié aux intérêts de la famille McIntyre.

Zut, se dit-elle. Riff a réussi à corrompre Kain... Eh bien, j'en ferai autant.

Chapitre 11

Comme une folle, elle sauta dans sa voiture et prit la direction de Los Veliz, le quartier où habitait Kain. Il fallait agir vite.

La demeure de Maxwell, de style hispano-américain, était énorme et située au milieu d'un parc couvert d'arbres. A l'entrée, un olivier dressait sa masse sombre. De chaque côté de l'allée centrale, une haie de palmiers ressemblait à des sentinelles au garde-à-vous.

Elle quitta sa voiture non loin du perron et se dirigea vers la seule lueur qui brillait dans la maison. C'était sûrement là que travaillait Kain.

Elle appuya sur la sonnette et ne la lâcha que lorsqu'elle entendit quelqu'un ôter le volet de sécurité de la vieille porte de chêne. Une seconde plus tard, une lumière extérieure s'alluma, éclairant le haut des marches où elle se tenait.

Kain entrouvrit la porte et glissa un regard vers elle.

– Pour l'amour du ciel, cessez ce raffut! Que voulez-vous?

Il avait l'air d'avoir peur.

– Je désire vous parler, Maxwell.

– A une heure pareille? Vous n'y pensez pas! D'ailleurs, je suis occupé.

– Je pense bien!

Lauren s'appuya brusquement de tout son poids

sur la porte, repoussant Maxwell vers l'intérieur. Il la dévisagea, médusé, quand elle entra et claqua la porte derrière elle.

– Très bien, fit-il avec irritation. Exprimez ce que vous avez à me dire et déguerpissez.

– Je veux lire l'article que vous êtes en train de faire pour la *Latham Galerie.*

Maxwell resserra d'un geste sec la ceinture de sa robe de chambre.

– Vous le lirez demain dans les journaux.

– Non. Tout de suite.

– Je regrette...

Lauren aurait aimé le gifler. Elle le bouscula et, se fiant à la seule lumière qu'elle voyait, traversa le hall pour gagner le bureau de Kain.

– Vous êtes une petite peste, fit ce dernier en la suivant. Vous voulez que j'appelle la police?

– Si cela vous rassure! En attendant, je vais lire votre chiffon de papier.

Elle arracha la feuille qui était sur la machine à écrire avant qu'il ait pu l'en empêcher et ramassa rapidement les feuillets déjà terminés. Puis, s'étant assise sur une chaise, elle commença sa lecture sous le regard incrédule du critique, blême de rage impuissante.

Quand elle eut fini, elle le regarda droit dans les yeux.

– Vipère, dit-elle entre ses dents. Vous êtes vraiment un monstre.

– Ce jeune artiste a du talent.

– C'est un médiocre, un moins que rien, vous le savez aussi bien que moi. Ce que j'ignore, par contre, c'est combien le sénateur McIntyre vous a payé pour écrire cette ordure.

Kain détourna le regard.

– Absurde, dit-il.

Il alla jusqu'à son bureau et se mit à tripoter nerveusement crayons et papiers.

– Très bien, fit Lauren.

Elle se leva, jeta l'article sur la table. Kain s'en saisit rapidement.

– Que voulez-vous que je vous donne? demanda-t-elle.

– Je ne comprends pas.

Mais il la regardait de biais à travers ses paupières mi-closes, échafaudant déjà des plans, elle en était sûre.

Lauren se mit à faire les cent pas, réfléchissant à ce qu'elle pouvait proposer à Kain et se rendant compte de l'inconsistance de ses possibilités. Sa position était insignifiante par rapport à celle de Riff.

– Je vous présenterai à Whelen Lloyd, dit-elle soudain.

Les yeux de Kain s'arrondirent et il ricana.

– Ma pauvre petite, vous n'êtes pas la seule amie des Lloyd! Justement, j'ai entendu dire que je faisais partie d'un groupe trié sur le volet qui participerait prochainement à une petite réception intime chez eux, où il sera question d'un musée que ce grand homme a l'intention de construire.

Il ronronnait presque.

– Ecoutez, reprit Lauren. Nous savons parfaitement tous les deux que je ne peux pas vous offrir d'argent. Et, comme vous venez de le dire, le sénateur connaît la fine fleur du monde artistique, mais...

Une idée lui était venue tout à coup à l'esprit... une idée fantastique.

– Je peux vous donner l'exclusivité d'une exposition de Fredrich Wilm.

Le critique serra les mâchoires.

– Oui, Wilm, insista la jeune femme.

Son cœur battait comme celui d'un coureur après un marathon.

– Je n'y mets qu'une seule condition : vous déchirez votre article et vous venez immédiatement avec moi voir les œuvres de Marcusso exposées dans ma galerie. Si vous écrivez un article sur ce peintre – qui, entre nous, est bien supérieur à... l'autre – eh bien, je vous promets cette exclusivité.

– Wilm... chez vous? répéta-t-il, éberlué.

– Evidemment. Cela fait un an que je travaille à ce projet. Wilm est même en train de préparer une série de lithographies inédites dont il me réserve la primeur. Je serai la seule au monde à les avoir.

– Mon Dieu, mon Dieu...

Kain semblait sur le point de s'écrouler. Chancelant, il alla jusqu'à son fauteuil et s'y assit lourdement.

– Mais, murmura-t-il, il n'a jamais laissé personne exposer ses œuvres. Et vous... Vous allez être riche!

– Et célèbre!

– Oh oui! Oui... mon Dieu!

Elle regarda l'expression de Kain changer au fur et à mesure que ses sentiments s'ajustaient à ses pensées. Il pesait le pour et le contre des options proposées par Riff et par Lauren, avec l'air d'un voleur pris sur le fait, obligé de choisir entre une poche pleine de diamants et une autre remplie de rubis et d'émeraudes.

– Peut-être pourrai-je obtenir des conditions spéciales pour un bon à tirer d'une œuvre originale?

– Il est toujours possible de conclure un marché. Ce n'est qu'une question de relations.

– J'aurai l'exclusivité totale avant que quiconque puisse en parler?

– Puisque je vous le dis!

Il tendit la main vers les feuillets dactylographiés,

hésita une seconde encore comme s'il pensait de nouveau à Riff, puis les déchira en plusieurs morceaux et les jeta au panier.

– Allons-y, dit Lauren. Vous avez à rendre compte d'une exposition avant le lever du soleil.

– Seigneur! Un miracle! Comment avez-vous fait?

Jacqueline entra dans le bureau de Lauren, un journal à la main. Elle venait d'y lire la très élogieuse critique de Kain sur l'exposition Marcusso.

– Simple corruption de fonctionnaire, répondit Lauren qui dépouillait son courrier.

– Vous l'avez corrompu avec quoi? Sûrement pas avec de l'argent! Vous avez bien votre corps à lui offrir, mais Aphrodite elle-même ne réussirait pas à enflammer ce glaçon!

– J'ai troqué Fredrich Wilm contre l'article.

– Comment?

– J'ai proposé à Kain une exclusivité sur l'exposition de Wilm...

Les yeux de Jacqueline s'arrondirent en boules de loto.

– Vous avez engagé Fredrich Wilm! Ce n'est pas possible!

– Euh... non. Mais ce n'est pas un problème et je...

Elle se leva, mal à l'aise, vint s'asseoir sur le coin du bureau, mordillant la gomme au bout de son crayon.

– Comment avez-vous osé faire une chose pareille? Enfin... chacun sait que Wilm ne communique jamais avec personne...

– C'est vrai. C'est un lourd handicap pour mon projet. Wilm vit en ermite. Selon certaines personnes, il est même complètement fou...

– Alors, expliquez-moi...

– Je ne sais pas, Jacqueline.

Lauren passa la journée du lendemain à courir après Wilm. A la bibliothèque, elle copia toutes les informations qu'elle put trouver dans les journaux et les magazines puis appela quelques amis et aussi quelques ennemis à New York et en Europe, surtout en Allemagne, patrie du peintre. Mais l'énigme demeura entière. En fin d'après-midi, elle n'avait pas réuni plus de deux pages de renseignements dont beaucoup lui étaient déjà connus. Wilm était un fou de génie salué comme le successeur de Picasso. Il s'était retiré dans les montagnes aux abords de Munich, n'avait pas d'agent artistique, se contentant d'appeler périodiquement un directeur de galerie de son choix pour faire une exposition. Il exigeait le paiement comptant des œuvres livrées et un pourcentage sur le montant des ventes. Il n'avait jamais accepté de faire de lithographies. Par conséquent, estima Lauren, son idée était bonne : posséder une litho d'une œuvre de Wilm représenterait une fortune.

La vie privée du peintre ne manquait pas d'étrangeté. Jeune homme, il avait épousé une fille superbe, de plusieurs années sa cadette, qui l'avait très rapidement quitté pour un autre amour. Il ne s'en était jamais remis et s'entourait maintenant de jeunes filles qu'il traitait tantôt comme des chiens, tantôt comme des reines. Sa maîtresse actuelle, une fille de vingt-trois ans, était une chanteuse rock aux longs cheveux blonds, aux yeux d'un bleu étonnant dont le rayonnement – disaient les mauvaises langues – était dû à la drogue. Elle avait servi de modèle au peintre pour une série de toiles qui avaient été exposées à Paris, un an plus tôt, avec beaucoup de succès. Chacun était d'accord pour reconnaître qu'ils étaient aussi fous l'un que l'autre et également âpres au gain. Mais aucun de ces détails ne permettait à Lauren de savoir comment elle pouvait joindre le reclus pour lui soumettre sa proposition.

Kain l'appelait régulièrement pour savoir où en était le projet.

– Il travaille dur, Maxwell. Il veut nous donner toute une série d'œuvres originales.

Jacqueline suppliait tous les saints du paradis de venir à leur secours.

– Vous n'êtes même pas catholique, lui avait reproché Lauren sur un ton accusateur.

– Qu'importe! Nous avons besoin de toute l'aide possible!

Christopher agita la main dès qu'il aperçut Lauren parmi la foule de gens venus accueillir les voyageurs à l'aéroport international de Los Angeles.

Il s'était laissé pousser la barbe pendant son séjour en Europe qui, de quinze jours au début, s'était peu à peu transformé en une odyssée de près d'un mois.

Jouant des coudes, ils se frayèrent un passage jusqu'à ce qu'enfin ils se trouvent l'un en face de l'autre. Un moment mal à l'aise, ils se regardèrent comme des étrangers, puis Christopher la prit dans ses bras et la serra si fort qu'elle en perdit le souffle.

– J'étais impatient de vous retrouver, dit-il tout bas.

Elle le sentait trembler d'émotion.

– Vraiment? Et pourquoi cela? demanda-t-elle en plaisantant.

– Rentrons vite à la maison et vous verrez pourquoi!

Elle conduisit en silence, écoutant les mille histoires qu'il racontait sur son séjour à l'étranger. Tout était merveilleux, sensationnel, spectaculaire en Italie! Les occasions de se faire connaître ou de signer des contrats intéressants avaient plu sur sa tête. Au fur et à mesure qu'il en rajoutait, Lauren se sentait de plus en plus malheureuse.

Lorsqu'ils furent arrivés à la maison, il s'occupa de défaire ses bagages.

– Vous voyez! C'est vrai! Tout ce que vous aviez prévu s'est produit!

Il tira un pull superbe de sa valise.

– C'est nouveau? demanda Lauren.

– Oui. Je l'ai acheté à Milan. Il vous plaît?

– Pas mal...

Pour l'instant, Lauren ne se sentait guère en état d'apprécier la garde-robe de Christopher. Il avait acheté bien d'autres vêtements à Paris, Rome et Milan sur lesquels elle ne fit aucun commentaire. Perdu dans sa propre euphorie, il ne sembla pas remarquer son silence.

– Je vais vite prendre une douche, fit-il une fois que tout fut rangé. Quand j'en sortirai, j'espère vous trouver déshabillée et insatiable!

Il l'embrassa et disparut dans la salle de bains où elle l'entendit chanter avec entrain.

– Vraiment fantastique!... murmura-t-elle entre ses dents.

Elle avait l'impression que sa vie était en train de basculer en même temps que celle de Christopher s'épanouissait. Certes, elle l'aimait. Et pourtant, lorsqu'elle regardait ses acquisitions vestimentaires, sa valise bien rangée dans un coin de la pièce, ses petits agendas en ordre sur la table qui portaient méticuleusement inscrit tout ce qu'il avait fait en Europe, elle aurait pu le haïr.

Elle le désirait autant que lui semblait avoir envie d'elle... mais elle allait le punir de tout ce temps passé loin d'elle : elle ne le laisserait pas approcher.

Ce serait sa manière d'affirmer sa volonté, son indépendance. Elle s'en voulait un peu de la mesquinerie de ses sentiments, mais ne pouvait s'empêcher de penser que les triomphes du jeune peintre faisaient de l'ombre à sa personnalité et diminuaient son importance. Elle se sentait exclue.

Quand il sortit de la douche, au lieu de la trouver en train de l'attendre impatiemment, il la vit, assise dans le salon, occupée à étudier les colonnes de chiffres du livre que lui avait remis Jacqueline. Et ces chiffres n'étaient pas bons! La guerre que Riff menait contre elle portait ses fruits. La débâcle était proche. Elle s'en tirerait peut-être, mais tout juste. Absorbée dans ses comptes, elle n'entendit pas Christopher s'approcher et l'observer avec insistance.

– Eh bien, fit-il doucement. Vous connaissez la nouvelle?

Sa voix était lourde de regrets et Lauren comprit qu'il attribuait la froideur de son attitude à une raison différente.

– Quelle nouvelle?

Elle leva la tête et plongea son regard dans celui du jeune homme. Elle remarqua qu'il portait une robe de chambre. Encore un changement... L'ancien Christopher aimait à se promener en sous-vêtements. Son eau de Cologne non plus n'était pas la même!

Il s'assit près d'elle et, aussitôt, elle tourna le feuillet du livre afin qu'il ne puisse pas le lire.

– On m'a pressenti pour peindre une fresque à l'Opéra de Milan.

Il avait plutôt l'air honteux et déçu de cette offre.

– Non, répondit-elle, je n'étais pas au courant.

– Je n'ai pas accepté.

Il hésita un moment avant d'ajouter:

– J'ai simplement dit que je réfléchirais.

Lauren le regarda comme s'il était fou.

– Vous perdez la tête? Vous n'aurez pas deux fois dans votre vie une telle chance!

– Vous aussi, vous êtes une chance que je ne retrouverai peut-être jamais plus. Lauren, je vous aime! Vous croyez que je ne me rends pas compte de ce qui nous est arrivé pendant mon absence de quelques semaines?

– Presque quatre!

– Si j'acceptais la proposition de Milan, ce serait beaucoup plus long!

Considérant avec une douloureuse lucidité l'exactitude de ses plus noirs pressentiments, elle se dit que le moment de vérité était venu. Elle ferma les yeux, se demandant ce qu'elle allait répondre. L'image de Lloyd se profila dans l'ombre. Elle le revit, assis à son bureau, lui prédisant que ses rapports avec Christopher prendraient un jour un tour cruel. Elle se sentait pitoyable, misérable. En toute conscience, elle n'avait pas le droit de l'empêcher de voler vers le succès qu'il méritait. Et elle ne voulait pas non plus l'avoir près d'elle comme témoin de son propre déclin, prélude à un échec total.

– Je crois que vous devriez accepter, dit-elle.

– Honnêtement? Cela ne vous contrarie pas?

Il la regardait avec un mélange de soulagement et de reproche : elle n'avait fait aucune objection à ce projet!

– Chris, vous savez bien que vous me manquerez terriblement.

– Non, je ne le sais pas du tout!

Ses yeux mendiaient une confirmation.

– Oh! Chris... Je vous en prie, ne soyez pas mélodramatique. Nous avons tous les deux une carrière à mener à bien. Je suis occupée, vous aussi.

Nous faisons partie de la nouvelle génération qui va de l'avant sans se soucier de vie privée ou d'autres problèmes du même ordre. Vous ne voulez pas rester figé dans des conventions d'un autre âge?

Son discours parut pour le moins pompeux à Christopher. Il secoua la tête.

– Bon. Alors, je crois que je vais accepter.

– Parfait. Formidable! Nous allons célébrer l'événement tout de suite! Allez chercher le champagne et montez-le au premier. Je vais me doucher et je vous rejoins.

Et, pensa-t-elle en montant lentement l'escalier, je prendrai le temps de m'offrir une bonne petite crise de larmes. Mais j'en sortirai avec le sourire, de sorte que vous ignorerez toujours, mon aimé, que notre amour n'était qu'un beau rêve passager qui va s'évanouir et se dissoudre en fumée...

Quand elle entra dans la chambre, le champagne était sur la table de nuit. Christopher lui tendit une coupe.

– A notre avenir, dit-il en levant la sienne.

Lauren but une gorgée sans mot dire. Il s'approcha d'elle, posa sa coupe et, avec tendresse, dénoua la serviette de bain qui couvrait la jeune femme. Il fit glisser ses doigts le long de son corps et prit entre ses mains ses seins tendus, les embrassa. Une goutte de champagne déborda de la coupe de Lauren et tomba sur sa poitrine. Il en suivit le ruissellement avec sa langue, jusque sur son ventre. Alors elle trembla et se colla contre lui.

– Je vous en prie, fit-elle en riant, laissez-moi poser ce champagne!

Il la débarrassa et reprit ses caresses, de plus en plus intimes, de plus en plus insistantes.

Le souffle de Lauren devint court. Elle ferma les yeux et se sentit vulnérable, complètement à sa merci. Il y avait si longtemps que...

– Vous ne m'en voudrez pas si je ne me conduis pas en parfait gentleman, ce soir, dit-il en la prenant par la main pour la conduire jusqu'au lit.

Il s'agenouilla, les mains sur les hanches de Lauren, et parcourut des lèvres tout son corps. Elle frissonnait. Tirant sur la ceinture de son vêtement, elle le dénuda.

– Il faudra aussi que vous me pardonniez si je ne me conduis pas tout à fait comme une dame bien élevée!

– Je suis d'humeur à tout permettre!

Il la couvrit de baisers et elle comprit qu'il cherchait à combler ses longues nuits d'attente et de solitude.

– Montrez-moi que vous avez envie de moi, fit-il d'une voix sourde.

Elle commença à le caresser avec une audace toute nouvelle, perdant peu à peu conscience d'elle-même, ne songeant qu'à assouvir leur passion mutuelle. Une chaleur intense se répandit dans ses reins.

– Que vous êtes belle! chuchota-t-il.

Il la regardait avec admiration. Ses cheveux noirs tombaient en cascade voluptueuse de chaque côté de son visage, donnant à ses yeux un reflet profond.

– Vous ne saurez jamais combien je vous ai désirée... combien j'ai attendu ce moment...

– Si... Oh si!

Elle l'embrassa passionnément puis le tortura un peu, retenant ses caresses, observant son regard s'abreuver à la beauté de ses seins, de son ventre, de ses hanches arrondies. De temps à autre, il fermait les yeux, savourait le contact de sa peau, oublieux de tout ce qui n'était pas eux deux. Enfin il s'allongea sur elle et les fantasmes de leurs nuits solitaires firent place à la réalité de leur désir.

Longtemps ils chevauchèrent les cavales de l'amour, qui les emportèrent jusqu'au cœur du tourbillon magique. Puis leur respiration se calma petit à petit, jusqu'à ce que le sommeil le terrasse. Encore un instant Lauren laissa son regard errer vers les toits qui se profilaient de l'autre côté du canal sur un fond de ciel nuageux strié de longs faisceaux rouge sang. Finalement, engourdie de bonheur, elle s'endormit.

Quand elle s'éveilla, elle était seule dans le noir. Une couverture avait été posée sur elle pour la protéger de la fraîcheur du soir. Elle se leva, les jambes molles, regarda autour d'elle. Dehors, un brouillard léger stagnait sur l'eau. Les lumières des maisons scintillaient dans l'atmosphère humide de septembre. L'automne avait envahi la Californie. Tout comme sa vie, la saison changeait.

Elle enfila un vêtement et descendit. La lumière était allumée dans le salon.

– Chris! Où êtes-vous?

Elle s'attendait à le voir surgir de la cuisine ou revenir du garage. Mais rien... Un lourd silence pesait sur la maison. Un affreux sentiment de solitude l'envahit et la pénétra jusqu'à l'âme : fallait-il déjà s'habituer à n'obtenir aucune réponse de Christopher?

Soudain, son cœur se serra. Sur la table, il n'y avait plus de trace du livre comptable qu'elle avait apporté la veille. Elle s'agenouilla pour voir s'il n'était pas tombé par terre. Mais non... rien...

Maudissant sa négligence, elle courut à la cuisine chercher ses clefs. Le trousseau y était mais la clef de la galerie avait été détachée. Elle prit alors dans la poche intérieure de son sac le double de secours qu'elle portait toujours sur elle et bondit jusqu'à la galerie. Un filet de lumière filtrait sous la porte de son bureau. Elle y entra et trouva Christopher assis devant le grand registre dont il étudiait les feuillets.

– Vous avez bien dormi ? demanda-t-il sans lever les yeux.

– Ce que vous avez fait me déplaît terriblement, dit-elle, immobile.

– Vraiment ?

Il parlait doucement.

– A moi aussi, figurez-vous.

Il se leva. Son apparente indolence cachait mal une rage intense. Tout en parlant, il frappait le livre à petits coups de poing.

– Je suis profondément blessé que vous n'ayez pas jugé utile de me parler franchement.

– Qu'auriez-vous pu faire ?

– Ecouter ! Je ne suis pas sourd, que je sache.

– J'ai besoin d'argent, pas de sympathie !

Christopher ignora le ton sarcastique de la remarque et se pencha sur les feuilles du livre qu'il se mit à tourner fébrilement.

– Juin, juillet, août... Tous ces chiffres me racontent une étrange histoire. Ici, une augmentation de loyer, là, des dépenses publicitaires doublées... Qu'est-ce que cela veut dire ? Il y a une chute inexplicable des ventes. Si vous ne reprenez pas rapidement le dessus, vous allez à la catastrophe, il me semble. Comment tout cela est-il arrivé ?

– Sans doute que je n'étais pas aussi forte et intelligente que je le croyais.

Elle traversa la pièce, prit le livre et le ferma. Christopher lui saisit le poignet.

– Je n'ai peut-être pas envie de connaître la réponse mais je vais tout de même poser une question : les McIntyre ne sont pas étrangers à cette situation, n'est-ce pas ?

Elle détourna les yeux sans rien dire.

– Je m'en doutais, fit-il.

– Oh! Vous savez, le sénateur est très fier.
– Moi aussi!
Il la lâcha. Ses yeux étincelaient de colère.
– Il y a des bruits qui courent auxquels je n'ai pas voulu attacher foi. J'ai choisi de les ignorer... mais je crois que j'ai agi comme un sacré imbécile...
Il se frappa le poing contre la paume de sa main et ajouta :
– Je suis désolé, Lauren, mais je dois vous avertir qu'en aucun cas je ne céderai ma place auprès de vous à ce bandit. Je suis bien trop égoïste pour cela...
Il s'approcha d'elle et la serra contre lui.
– Venez en Italie avec moi, Lauren. Vous avez prouvé que vous pouviez réaliser ce que vous vouliez en ouvrant cette galerie sur Rodeo Drive. Tout le monde sait aujourd'hui que vous êtes tenace et brillante. Laissez cela maintenant. Si vous vouliez vous mesurer à ces gens , vous les battriez à plate couture. Mais vous ne le ferez pas parce que vous êtes trop bonne, trop pure pour vous abaisser à leur niveau.
– Je les vaincrai tous, murmura-t-elle.
– Non, Lauren, ce n'est plus possible. Votre avenir est inscrit là, dans ces colonnes de chiffres.
– Wilm me sauvera...
Christopher sursauta et la regarda avec surprise.
– Fredrich Wilm? Vous avez signé un contrat avec lui?
– Pas encore. Mais cela se fera dès que j'aurai réussi à le joindre.
Christopher soupira.
– Vous n'abandonnerez donc jamais? Vous ne vous rendez pas compte que vous avez à peu près autant de chances d'exposer les œuvres de Wilm

que de voir Rembrandt sortir de sa tombe. Il vit complètement retranché du monde. Il est...

Il s'arrêta au milieu de sa phrase et s'éloigna, l'air pensif. Soudain, il se retourna et s'écria :

– J'ai une idée. Je crois que je peux vous aider... Je n'en ai pas réellement envie, mais je vais essayer tout de même.

– Vous allez m'aider à obtenir un contrat avec Wilm ?

Elle rit, croyant qu'il plaisantait.

– Mais oui, parfaitement. J'ai rencontré à Rome sa maîtresse actuelle, une femme d'une ambition incroyable... Elle a aimé mes toiles et m'a même fait des propositions...

– ... très osées, je suppose !

Christopher sourit.

– J'adore quand vous êtes enfin humaine. Oui, admit-il, certaines de ces propositions étaient très... personnelles. Mais je parie que son intérêt pour moi ou pour n'importe quel autre homme est éminemment professionnel et... lucratif.

– Vous l'avez envoyée promener, j'espère !

– Evidemment. Mais je peux joindre Wilm par son intermédiaire. Elle est censée résider à Berlin pendant les deux prochains mois pour tourner un film d'avant-garde. Apparemment elle sait que ses jours avec Wilm sont comptés et a très envie de mettre quelques plumes de plus dans son nid. Si vous vous arrangez pour que cela en vaille la peine pour elle, je suis certain qu'elle plaidera votre cause auprès de Wilm.

– Il ne me reste plus beaucoup de temps !

– Ne craignez rien ! Elle est rapide !

Chapitre 12

Lauren resta pendue aux basques de Christopher pendant qu'il essayait d'entrer en contact avec l'amie de Wilm.

– Promettez-lui n'importe quoi, dit-elle, puis, se reprenant, elle ajouta : dans la limite du raisonnable, bien entendu.

– Je vous laisserai vous occuper des discussions financières.

– Mais je ne parlais pas d'argent !

Christopher la regarda, interloqué.

– De quoi s'agissait-il alors ? Ne me dites pas que vous songez à utiliser mon charme !

– Il faut travailler avec ce qu'on a sous la main, répondit la jeune femme en riant.

– Après tout, elle n'est pas si mal, quand j'y pense...

– Ne pensez pas ! Contentez-vous de faire son numéro.

Deux jours plus tard, Lauren et Christopher étaient à bord d'un jet de la Panam qui les déposait à l'aéroport de Berlin-Ouest. Ils suivirent les panneaux indiquant la sortie.

– Tiens, fit Christopher en arrivant à la porte de débarquement, voilà notre femme, là-bas... Celle qui ressemble à un Martien !

– Oh ! Un Martien habillé à prix d'or, à ce que je vois !

Holly Adler, accoudée à la balustrade, fumait une cigarette. Ses cheveux blonds lui tombaient sur la figure. Elle portait un pantalon en lamé argent, des bottes roses et une veste d'aviateur argentée. Lauren avait suffisamment l'expérience de ce genre d'accoutrement pour savoir qu'il coûtait les yeux de la tête. Lorsqu'elle aperçut Christopher, elle repoussa ses cheveux de chaque côté de son visage et Lauren se rendit compte qu'elle était très belle. Wilm avait bon goût et n'était pas si fou qu'il le laissait croire!

Jalouse tout à coup, Lauren lança à Christopher un regard soupçonneux qui le fit rire.

– Ne vous inquiétez pas! Les oiseaux de lune ne sont pas mon type!

Holly s'approcha.

– Quelle joie de vous revoir! dit-elle avec un accent anglais assez appuyé.

– Je vous présente Lauren Taylor.

– Ah oui!... La propriétaire de la galerie sur Rodeo Drive, répondit-elle en dévisageant froidement la jeune femme.

Lauren nota la sagacité des grands yeux bleus et se dit que c'était sans doute une chance d'avoir affaire à quelqu'un d'intelligent : elle aurait moins de mal à la convaincre de l'intérêt qu'il y avait à faire exécuter des lithographies d'après les œuvres de Wilm.

Ils gagnèrent l'un des hôtels les plus chic de Berlin, où Holly, qui y logeait, leur avait retenu une chambre. Rien d'étonnant, pensa Lauren, à ce qu'elle habite dans un endroit aussi coûteux : c'était le *Bristol Kempiski*, sur le Kurfürstendamm.

– Vous voulez sans doute vous rafraîchir un peu. Ne vous gênez pas. On bavardera plus tard dans ma suite, dit Holly. Après tout, inutile de faire traîner les choses en longueur. Un contrat est bon ou mauvais, n'est-ce pas?

– Il sera bon, assura Lauren.

Holly sourit froidement.

– Ainsi vous n'aurez perdu ni votre temps ni votre argent.

Une heure plus tard, Lauren et Christopher prenaient place dans l'appartement de la chanteuse. Ils acceptèrent un verre de sherry.

Elle portait un tee-shirt violet long jusqu'à mi-cuisses, un collant à rayures orange et violettes, et des bottes orange à talons plats.

– Alors, fit-elle en allumant une cigarette, vous aimeriez exposer les peintures de mon Freddie, paraît-il.

– Pas exactement ses peintures.

Holly eut l'air surpris.

– Pas exactement? Alors, quoi exactement?

Lauren était fascinée par les étonnants yeux d'opale.

– Wilm n'a jamais pensé faire faire des lithographies d'après ses œuvres?

– Des lithographies? Vous voulez dire des copies à trente-six mille exemplaires? Vous plaisantez, non?

Pour souligner le mépris que lui inspirait cette suggestion de Lauren, elle souffla dans sa direction un mince filet de fumée.

– S'il en faisait, je les mettrais à la poubelle!

Lauren eut du mal à ne pas prendre immédiatement la porte.

– Il sortirait sans doute une fortune de cette poubelle!

– Oh! Ma chère, ce temps-là est passé. Le public n'est plus assez stupide pour s'intéresser à des lithographies.

Ce que disait la chanteuse était exact. Tout le

monde savait parfaitement ce qui avait eu lieu de 1978 à 1981. Le marché des œuvres d'art avait été frappé de folie, les galeries s'étaient mises à vendre une quantité de lithographies à des prix défiant tout bon sens. Le marché avait résisté, certaines personnes avaient même fait fortune mais très rapidement la débâcle avait suivi. Les prix s'étaient effondrés... On avait tué la poule aux œufs d'or, non seulement à cause des pratiques éhontées des galeries et de certains de leurs artistes, mais aussi à cause de l'économie internationale en pleine mutation. Les gens avaient plutôt tendance, maintenant, à se priver et ne sortaient pas volontiers leur porte-monnaie pour s'offrir des lithographies, même à tirage limité.

– Ecoutez-moi, dit Lauren. Fredrich n'est pas encore considéré comme un grand maître.

– Il le sera bientôt, répondit-elle.

Elle écrasa nerveusement son mégot et ralluma une autre cigarette.

– Je le crois aussi.

– Ah oui? Et alors?

– J'estime que beaucoup de gens pensent comme nous de sorte que, lorsque ses lithographies sortiront sur le marché, tous les considéreront comme un excellent placement.

Holly gagna la fenêtre et observa silencieusement le Kurfürstendamm. Un nuage de fumée l'enveloppait.

– Bon, dit-elle enfin. Voici comment nous allons procéder.

Lauren sentit le trac la saisir... Elle tenait le bon bout! Elle survivrait! Elle garderait sa galerie!

– Je vais vous faire confiance, dit Holly qui marchait de long en large comme un ours en cage.

Lauren et Christopher échangèrent un regard. Ils savaient parfaitement que cette fille était d'une nature à ne se fier à personne. Elle s'était certainement renseignée sur eux avant d'accepter de les rencontrer.

– Mais, poursuivit-elle, il faudra qu'à votre tour, vous vous en remettiez à moi. Freddie est un être très étrange, avec qui il est difficile de traiter une affaire. Mais je le connais bien et je sais comment le prendre. Je peux m'en charger... pour le moment en tout cas.

Elle avait ajouté les derniers mots comme s'il s'agissait d'une réflexion pour elle-même plus que pour Lauren et Christopher.

– Bref, conclut-elle, vous exposerez les lithographies de Freddie dans votre galerie et vous vous chargerez de les vendre, à prix fort, bien entendu. Je m'occuperai personnellement du tirage et veillerai à ce que tout soit réalisé avec soin et précision.

– Vous connaissez le procédé? demanda Lauren.

– Pas vraiment, mais j'ai des relations qui sont au courant. Je superviserai.

Cet arrangement ne plaisait pas du tout à Lauren.

– Je me sentirais plus à l'aise et plus sûre si je pouvais travailler moi-même aux tirages...

– Désolée, ma chère. Ce sont mes conditions. Elles sont à prendre ou à laisser.

– Pourquoi? demanda Christopher.

Il n'avait pas prononcé un mot pendant toute la discussion, mais on le sentait hostile. La panique saisit Lauren. Pourvu que Christopher ne vienne pas contrarier cette fille capricieuse et fantasque avant que le contrat ne soit signé! Mieux valait accepter ses exigences maintenant et voir ce que les circonstances permettraient de faire par la suite.

– Vous me demandez pourquoi? fit Holly avec

hauteur. Vous ne savez donc pas que Freddie est un paranoïaque? Il ne confie jamais rien à quelqu'un d'autre que moi! Sans moi, impossible de traiter avec lui.

– Eh bien, d'accord, murmura Lauren.

Elle se leva et tendit la main à la chanteuse qui la regarda comme si elle avait sous les yeux un objet étrange jamais observé auparavant. Elle sourit.

– Je croyais que seuls les messieurs se serraient la main!

– Les dames aussi!

– Ah! Les dames! Alors, je ferais peut-être mieux de m'abstenir...

Là-dessus, elle tourna le dos à ses visiteurs et alluma une cigarette.

Christopher était furieux et pria Lauren de l'excuser s'il n'assistait pas à l'entrevue suivante.

Quand ils quittèrent Berlin, le surlendemain, il était étrangement silencieux. Lauren se dit qu'il était d'humeur maussade et essaya de le dérider.

– Vous êtes fâché contre moi? J'ai fait quelque chose de mal?

– Non, pas exactement... Mais je crois que vous vous êtes embarquée dans une affaire qui pourrait bien se révéler une énorme erreur...

– Parce que Holly a voulu faire les choses à sa façon? A vrai dire, cela ne m'enchante pas non plus. Mais qu'y puis-je? Je n'avais pas le choix! Qu'y aurait-il de pire pour moi à l'heure actuelle que de perdre ma galerie? Nos arrangements me permettront au moins de prendre un gros poisson.

– Je doute qu'avec Holly il y ait rien de bon à prendre!

– Allons donc, fit Lauren en se blottissant contre lui. Vous avez simplement des préjugés contre les Martiens!

Chapitre 13

Ils avaient quinze jours devant eux avant le départ de Christopher pour l'Italie. Tous deux avaient convenu que Lauren habiterait la maison du canal jusqu'à l'expiration du bail.

– Mais j'ai mon appartement! avait d'abord protesté la jeune femme.

– Oui! On le sait! Et on sait également qu'il est vide. Alors profitez plutôt de ces lieux et de la vue sur le canal!

– Mais...

– Et les canards? Qui les nourrira en mon absence? Et votre compagnon préféré...

– Qui?

– Cavalier, voyons!

Christopher alla prendre le chat endormi dans son panier et le posa entre eux sur le lit.

– Ah oui! C'est vrai! Ce malheureux, je l'avais oublié, dit-elle en riant. Comment ai-je pu faire une chose pareille?

– En tout cas, lui en serait incapable!

– Sûrement! Il crache, gronde et fait le dos rond dès que je mets les pieds ici... Surtout quand vous n'êtes pas là!

– Eh bien, il faudra vous y habituer...

L'un et l'autre savaient qu'en prononçant ces mots, Christopher pensait à tout autre chose qu'au chat.

Pour compenser son refus de partir en voyage avec lui, Lauren avait accepté de n'aller à la galerie que le matin.

Cette année-là, Los Angeles vécut un automne exceptionnellement chaud. Les gens reprenaient leurs habitudes estivales et profitaient de la plage, sachant bien que ce temps ne durerait pas. Le même sentiment tenailla Lauren pendant ces deux semaines idylliques de vie commune. Au milieu de son bonheur elle avait conscience de la fuite des jours et savait que, de même que la vague de chaleur prendrait fin, tout se terminerait bientôt pour elle, lui laissant une impression de vide et de froid.

Quelquefois, lorsqu'elle se promenait sur la plage aux côtés de Christopher, son esprit s'isolait loin de la musique dispensée par les haut-parleurs et de la douce présence de son amant. Elle sentait alors un frisson de solitude l'envahir. Hélas, quand Christopher serait parti, elle se retrouverait comme la plage en hiver : triste et désolée.

Mais, pour l'instant, ils partageaient de si bons moments! La perspective de l'exposition Wilm permettait à Lauren de se détendre et de profiter de la vie. Même les appels répétés de Maxwell ne la contrariaient pas. Elle ne craignait plus qu'il lui sabote sa carrière.

Un après-midi, alors qu'elle rentrait de la galerie, Christopher lui fit une surprise : il avait acheté à un voisin un petit dinghy d'occasion et tous trois, Cavalier en tête, s'embarquèrent pour une promenade sur les canaux au milieu des canards qui les accompagnèrent en groupes bruyants.

Christopher était le capitaine de l'équipage. Cavalier prenait les airs hautains d'un P.-D.G. habitué à de bien meilleures conditions de vie. Quant à Lauren, elle était chargée de faire régner la gaieté à bord et de veiller à ce que chacun mange à sa faim. Les éclats de rire succédaient aux plaisanteries, et le temps passait dans la joie.

Mais hélas, un jour tout prit fin. Le mirage du bonheur allait se dissoudre dans l'implacable réalité. La première semaine d'octobre était arrivée : Christopher devait partir.

Il y avait eu, au cours de ces quinze jours, des moments où Lauren avait presque renoncé à se montrer noble et généreuse envers son compagnon. Elle savait que, si elle lui demandait de rester, il le ferait. Mais elle n'ignorait pas que leur amour ne survivrait pas à de pareilles conditions. Un aigle pouvait-il vivre heureux si on l'empêchait de voler? Non!... Sans doute était-il possible d'encager des oiseaux plus petits, mais l'envergure des ailes de Christopher était bien trop vaste pour être contenue. Sa nature l'attirait vers les cimes où peu d'êtres osaient affronter les vents, la proximité du soleil et l'excitation que procurait la liberté de s'élever toujours plus haut. Toute sa destinée serait brisée si elle se laissait aller à lui demander de renoncer.

Mais en gardant le silence, elle détruisait une partie d'elle-même qu'elle ne pourrait plus jamais reconquérir. Son instinct la rendait consciente que jamais plus elle ne rencontrerait un amour pareil.

Sur la route qui conduisait à l'aéroport, elle se répétait les paroles qu'elle prononcerait au moment des adieux. Sans doute se quitteraient-ils devant la porte d'embarquement ou dans la salle d'attente... près d'une fenêtre qui laisserait filtrer les derniers rayons du soleil et éclairerait leurs visages.

Mais rien ne se produisit comme elle l'avait prévu. Quand ils parvinrent à l'aéroport, un haut-parleur annonça que seuls les passagers munis de leur carte d'embarquement étaient autorisés à franchir le contrôle de sécurité. Alors, au lieu du discours poignant qu'elle avait préparé, elle fut contrainte de lui dire un au revoir rapide à la lumière blafarde des néons, dans le bruit des moteurs d'avions qui vrombissaient au-dessus de leurs têtes. Elle réussit à ne pas pleurer, sourit même, l'embrassa, fit quelques plaisanteries insipides, promit pour la centième fois de lui écrire, de lui téléphoner, l'embrassa de nouveau et lui adressa de petits signes de la main jusqu'à ce qu'il ait disparu dans le long couloir.

Alors la panique la saisit. Elle tenta de le rattraper, bousculant au passage un groupe de Japonais auprès desquels elle s'excusa brièvement, criant de toutes ses forces :

– Chris! Chris!

Mais il ne l'entendit pas. Décontenancée, elle resta un moment immobile, bouche ouverte, puis regagna sa voiture. Sur le chemin du retour, elle se dit qu'elle avait fait ce qu'il fallait : elle avait respecté la liberté de l'homme qu'elle aimait; il était parti.

Les premières épreuves de Wilm arrivèrent par courrier spécial deux semaines après le départ de Christopher. Pour l'instant, Lauren n'avait aucune raison de ne pas continuer à traiter directement avec Holly sur les bases établies. Christopher, pourtant, la mettait en garde contre la chanteuse chaque fois qu'il téléphonait. Il était très sceptique quant à sa moralité. Mais, jusqu'à présent, sa conduite avait été exemplaire. Lauren recevait des comptes rendus détaillés sur les progrès effectués dans le tirage des lithos et, conformément à l'accord signé, elle avait maintenant en main la première épreuve. Wilm devait en fournir une dizaine pour l'exposition, dont le tirage serait limité à trente-cinq exemplaires par œuvre, à vingt-cinq mille dollars pièce. Ce prix se justifiait par la réputation qu'avait Wilm d'être le successeur de Picasso ainsi que par la garantie d'exclusivité fournie par Lauren. Ainsi les collectionneurs qui achèteraient ces lithographies seraient certains de faire un bon placement. Lauren avait bâti toute sa campagne publicitaire sur cet argument.

Sa commission sur les ventes était en général de cinquante pour cent, mais Holly avait prévenu que Wilm voulait quatre-vingt-dix pour cent du montant des ventes, ce qui ne laissait plus que dix pour cent à la directrice de la galerie. Lauren avait refusé net. Holly avait alors accepté de lui laisser quinze pour cent des ventes. D'après ses calculs, Lauren comptait que cela lui rapporterait probablement un million trois cent deux mille cinq cents dollars. Mais, en dehors des bénéfices financiers, elle savait que sa réputation y gagnerait gros et qu'elle serait propulsée sur le devant de la scène pour plusieurs années. Elle deviendrait un personnage légendaire simplement pour avoir pensé la première à présenter au public les lithographies de Fredrich Wilm.

Ni elle ni Christopher n'étaient assez naïfs pour croire que Holly n'avait pas exigé sa part du pourcentage de Wilm. Lauren avait avancé le chiffre de cinq pour cent, ce qui avait fait rire Christopher; cyniquement il avait parié qu'elle prendrait au moins dix pour cent. De toute façon, le problème ne les concernait pas : ils n'avaient pas à contrôler les finances du couple.

– Vous ne voyez vraiment pas les choses en face, avait dit Christopher. La vérité c'est que vous avez affaire à un être absolument sans scrupules.

– C'est possible, mais quel mal peut-elle me faire,

en dehors de ses cancans imbéciles? Notre contrat est très clair : elle m'envoie le travail, je le vends, on me paie, je prélève ma commission et je fais parvenir le reste à Holly qui le transmet à Wilm en prenant au passage ce qu'elle veut et qui ne me regarde pas.

– J'espère que vous ne vous trompez pas et que le réveil ne sera pas trop cruel.

Lauren avait alors préféré changer de sujet de conversation plutôt que d'écouter la série de catastrophes suspendues au-dessus de sa tête.

L'épreuve qu'elle tenait en ce moment devant elle était sans défaut, comme l'avait promis Holly. Parmi les quatre techniques utilisées généralement pour le tirage de lithographies, Wilm avait choisi la planographie, procédé le plus courant. Mais Lauren avait eu du mal à obtenir de Holly que le peintre consente à signer chacune des épreuves. Elle aurait préféré que l'artiste signe simplement une fois la plaque d'après laquelle on tirait les séries de lithographies. Holly avait affirmé que Wilm n'accepterait jamais de se soumettre à la dure épreuve d'apposer sa signature sur des centaines d'exemplaires. Finalement, Lauren avait dû abandonner la partie en se disant, pour se consoler, que les Rembrandt, les Dürer et les Renoir avaient agi de même sans que leurs œuvres aient eu à en souffrir. Mais, pour se garantir et protéger l'exclusivité d'un tirage limité, elle avait demandé à Wilm de marquer la plaque dès que le tirage d'une série serait terminé, de façon qu'on ne puisse plus s'en resservir. Dans certains cas, ces plaques étaient vendues ou offertes à des musées. Des descriptions très documentées seraient inscrites dans des catalogues et serviraient de référence aux collectionneurs, leur permettant ainsi de vérifier les dimensions, les couleurs et tous les détails de l'œuvre acquise par rapport à l'original.

Lauren avait prévu le vernissage de cette exposition pour la quinzaine qui précéderait Noël, une période propice aux achats et pas encore trop bousculée.

L'absence de Christopher lui pesait lourdement. Il lui téléphonait souvent et lui envoyait de petits dessins les représentant tous deux pendant les semaines merveilleuses qu'ils avaient vécues ensemble à Venice. Elle les gardait précieusement, autant pour le plaisir qu'elle avait à évoquer ses souvenirs qu'en raison du talent dont ils témoignaient. Le nom du peintre apparaissait souvent dans les journaux : les acheteurs et les agents du monde entier commençaient à parler de lui; les conservateurs de musées demandaient à voir ses œuvres. Personne ne voulait manquer les prémices de ce nouveau talent.

Bientôt parurent dans l'*Europeo* d'Italie, dans *Jours de France*, dans le *Marchete* portugais et dans bien d'autres revues et magazines des articles qui le louaient chaudement. Parfois Lauren se rendait compte, au cours de leurs conversations téléphoniques, que Christopher ignorait à peu près tout de ces parutions; ils en riaient ensemble.

Comme à l'accoutumée, Kain fourrait son nez partout. Ce fut lui qui, un jour, au cours d'une séance de mise au point de l'exposition, mentionna un article paru dans le *London Magazine*

– Je suis vraiment très heureux de savoir que Christopher est en si bons termes avec l'amie de Wilm. Mais avouez que c'est assez surprenant... Elle a une réputation assez douteuse. Je me demande ce qu'il lui trouve. Lui, un homme de si grande classe et de si bon goût!

– Qu'essayez-vous de me dire exactement, Maxwell?

– Rien de particulier. J'ai simplement lu l'article

du journal de dimanche dernier et je vous répète ce que j'y ai appris.

– Quel dommage que je n'aie pas encore reçu mon numéro!

– Je vous enverrai le mien avec plaisir.

– Ne vous donnez pas ce mal...

– Mais si, j'insiste... C'est un service qu'on doit se rendre entre amis...

Kain avait beau avoir une langue de vipère, il n'avait pas menti. Les photos du *London Magazine* montraient Christopher et Holly à Berlin, debout l'un près de l'autre, un bras du jeune peintre passé autour de la taille de la chanteuse. Preuve noir sur blanc de l'infidélité de Christopher.

Eh bien, pensa Lauren, au moins ce traître ne sourit pas! Je ne l'aurais pas supporté.

Elle froissa le journal et le jeta par terre à côté de son lit, puis se blottit sous les couvertures. Dormir lui était impossible. Aussi était-elle parfaitement réveillée lorsque le téléphone sonna quelques heures plus tard. Dans l'obscurité, elle tendit la main vers le récepteur et frôla la fourrure chaude de Cavalier qui dormait en boule à ses côtés. L'animal avait enfin accepté sa présence. Elle décrocha et sursauta en entendant la voix de Christopher.

– Il est tard, fit-elle sèchement.

– Je le sais. Mais ce que j'ai à vous dire ne pouvait attendre.

Il y avait une anxiété dans sa voix qui poussa Lauren à ne pas lui poser la myriade de questions qu'elle avait en tête. Elle s'assit dans le lit, alluma la lampe de chevet.

– De quoi s'agit-il?

– Laissez tomber l'exposition de Wilm, Lauren.

La communication était légèrement brouillée et les mots arrivaient comme à travers un tunnel, avec un léger écho après chaque syllabe.

– Chris, on a discuté ce problème mille et mille fois...

– Ecoutez, coupa-t-il, je ne peux vous donner de raisons précises à ma défiance parce que je n'en ai pas...

Elle eut envie de lui répondre que, d'après les photos du magazine, elle aurait pensé qu'il était justement très bien placé pour en avoir beaucoup, mais elle tint sa langue.

– C'est peut-être une réaction viscérale, mais je sais que mon intuition est juste. Holly va vous détruire.

– Oh! Je vous en prie, épargnez-moi ce vieux refrain. Comment serait-ce possible? Expliquez-moi!

– Je viens de dire que je n'ai aucun élément précis sur lequel fonder mon sentiment. Rien de concret, mais je vous en prie, Lauren, croyez-moi : je sais que je ne me trompe pas sur la vraie nature de Holly.

Il y eut alors chez Lauren comme une hésitation, un blanc que Christopher perçut parfaitement. Il reprit d'une voix adoucie :

– Je me doutais bien que vous aviez découvert le pot aux roses.

– En effet.

– Laissez-moi vous dire comment les choses se sont passées. Oui, je suis allé à Berlin. Oui, j'ai vu Holly. Oui, on nous a photographiés ensemble. Mais cela ne veut rien dire. N'en tirez pas de conclusions hâtives. C'est pour vous que j'y suis allé et, si elle était attirée par moi, en revanche, je ne l'étais pas du tout par elle. Vous me croyez, j'espère?

– Comment donc! Pourquoi pas? fit-elle sur un ton sarcastique.

– Ecoutez, Lauren, il faut absolument que vous

ayez confiance en moi sur ce point : cette fille est néfaste.

– Holly n'est peut-être pas un modèle de moralité mais en l'occurrence, je vous assure qu'elle n'a aucun moyen de me faire de tort. J'ai besoin des lithos de Wilm pour survivre, éviter la culbute et...

– Laissez tomber la galerie et venez me rejoindre.

Il n'était jamais apparu à l'esprit de Lauren que Christopher pût souhaiter la voir essuyer un échec, mais en cet instant l'idée l'effleura.

– Il n'en est pas question. J'ai mis sur pied l'exposition Wilm et je la mènerai jusqu'au bout. Pendant onze ans j'ai pris des risques calculés, je sais donc parfaitement ce que je fais.

– Félicitations. Vous m'impressionnez vraiment, fit-il sur le ton d'une personne qui ne l'est pas du tout. Mais n'oubliez pas que je vous aurai prévenue : vous travaillez avec une personne qui espère vous voir tomber.

– C'est ridicule ! Si j'échouais, Holly en ferait autant.

– Mais non ! Les gens comme Holly Adler ne perdent jamais. Ils se contentent de détruire les autres.

Lauren ne ferma pas l'œil de la nuit.

La campagne publicitaire qu'elle avait organisée était très bien calculée. Le rythme en allait crescendo, ce qui se révéla efficace au point que, quelques jours avant le vernissage, les critiques étaient tellement excités qu'ils auraient presque accepté de payer leurs places.

Mais, de son côté, Riff ne restait pas inactif. Il continuait à tenter de discréditer Lauren auprès du public et, deux semaines avant le vernissage de Wilm, avait lancé sa contre-offensive sous la forme d'une fête de charité qui devait avoir lieu le soir même de l'inauguration de l'exposition. Au cours de cette fête, il avait décidé de procéder à une vente aux enchères d'œuvres d'artistes connus et d'y convier toutes les plus riches familles de Philadelphie, de Boston et de Nouvelle-Angleterre. L'événement aurait pour cadre la grande salle de réception du *Beverly Wilshire Hotel*, l'endroit le plus chic de Los Angeles. La liste des œuvres proposées à la vente était assez impressionnante pour retenir l'attention de n'importe quel collectionneur ou connaisseur de peinture. Et la publicité n'avait pas été faite au rabais!

Assise derrière son bureau après l'heure de fermeture de la galerie, Lauren fixait d'un regard sombre le journal ouvert devant elle. Jacqueline, qui n'en finissait pas d'expédier des télex aux quatre coins du monde, entra au moment où Lauren lâchait une bordée de jurons.

– Non mais, vous avez vu ça?

– Oh là là! fit Jacqueline après avoir jeté un coup d'œil par-dessus l'épaule de sa directrice.

– Oh là là, comme vous dites! murmura Lauren entre ses dents.

– Vous n'avez aucun souci à vous faire, voyons. D'ici quinze jours, tous vos problèmes seront résolus.

– Oui... ou bien je serai fichue.

Toutes deux étaient assez réalistes pour savoir qu'elle énonçait la vérité.

Chapitre 14

La veille du vernissage, Lauren ferma la galerie et donna congé à ses employés. Seules, elle et Jacqueline restèrent sur place pour recevoir les lithos qui arrivèrent par camion spécial blindé, protégé par des gardiens vigilants. Chaque œuvre était encadrée selon les recommandations de Lauren. Il n'y avait plus qu'à les accrocher aux murs.

Lorsque tout fut achevé, elle passa une dernière fois en revue l'ensemble de l'exposition : excellent. Des semaines d'anxiété et de fatigue s'évanouirent tout à coup devant la qualité et la beauté de la réalisation.

– Ne vous l'avais-je pas dit et répété? demanda Jacqueline, triomphante. Vous voyez bien que vous n'aviez aucun souci à vous faire.

– Oui, oui, répondit Lauren qui se sentait d'humeur à être d'accord avec tout le monde.

Les lithos représentaient la quintessence du travail de Wilm. Chaque fois que l'une d'elles avait été terminée, Holly avait immédiatement soumis à l'approbation de Lauren le premier tirage. Donc le résultat était sans surprise. Mais voir le tout suspendu en pleine lumière et habilement distribué sur les murs de sa galerie représentait pour Lauren la preuve qu'elle avait atteint son but et gagné la bataille, grâce à son énergie et à la justesse de son jugement. Christopher avait eu tort de mettre en doute la loyauté de Holly. La jeune femme avait été efficace et précise dans ses façons d'agir.

Demain, pensa Lauren, je lui rendrai hommage et la féliciterai pour son esprit de coopération. Et je m'arrangerai pour que Christopher soit là, à mes côtés.

Il n'y avait plus qu'un seul nuage à son horizon : la menace que faisait planer Riff sur ses ventes.

– Les gens viendront ici, insista Jacqueline avec une autorité rageuse. Que voulez-vous qu'ils aillent faire à une vente de charité ? Les œuvres que Riff va exposer et vendre, on peut les voir n'importe où et n'importe quand. Tandis que Wilm, c'est autre chose. Il ne montre pas souvent le bout de son nez, alors, quand il le fait, mieux vaut être là pour ne pas le manquer.

– Vous avez raison, dit Lauren, retrouvant son optimisme.

– Comme d'habitude !

A l'heure prévue pour son rendez-vous personnel, Kain se présenta à la galerie. Il venait en avant-première visiter l'exposition. Les autres critiques ne seraient invités que le lendemain. Cela permettrait à Kain de sortir son article avant tout le monde, ce qui rehausserait son prestige et augmenterait ses chances d'obtenir une rubrique artistique qui paraîtrait simultanément dans plusieurs journaux. Ainsi deviendrait-il la voix la plus autorisée des Etats-Unis en matière d'art. Lauren y trouverait également son compte, car l'article de Kain toucherait le public le matin du vernissage, jour du gala de charité de Riff. S'il était enthousiaste, sans doute les gens donneraient-ils la préférence à l'exposition de Wilm et négligeraient-ils de se rendre chez le sénateur.

Vêtu d'un élégant costume gris à rayures, d'une chemise rose et d'une cravate voyante, Kain examinait chacune des lithos avec soin. Lauren l'observait à distance. Il ne donnait aucun signe d'émotion, se déplaçait tranquillement, revenait parfois sur ses pas pour étudier un détail et inscrivait quelques notes sur son bloc. Quand il eut terminé, il refit un tour rapide de la galerie puis, tout comme autrefois à l'université, referma son bloc d'un geste sec et gagna la sortie, tenant entre ses doigts bien manucurés ce qui déciderait sans doute du destin de Lauren.

– Maxwell? appela-t-elle.

– Oui, mademoiselle Taylor?

Il avait répondu sans même se retourner ni s'arrêter.

– Qu'en pensez-vous?

– Vous le lirez demain dans les journaux, mademoiselle Taylor.

Il s'immobilisa sur le seuil, fit volte-face et, après un moment de silence, murmura :

– Mademoiselle Taylor... je vous souhaite la bienvenue dans le monde si fermé des arts...

– Merci, Maxwell. J'ai conscience de n'avoir pas toujours été en très bons termes avec vous et je devine ce qu'il vous en a coûté de me dire ces quelques mots.

– C'est exact. Néanmoins, vous les méritez.

Bien qu'elle eût toutes les raisons de trouver son ancien maître absolument détestable, elle se surprit à lui sourire et crut qu'il allait en faire autant. Mais non! Seul un petit frémissement de sa lèvre supérieure témoigna d'une légère émotion.

Le matin du vernissage, Lauren dut s'arrêter chez le traiteur de sorte qu'elle n'arriva à la galerie qu'après dix heures, le *Los Angeles Times* à la main.

– Victoire! cria-t-elle en agitant le journal sous le nez de Jacqueline.

– Je sais, répondit cette dernière, les yeux brillants. Et vous avez là des messages du monde entier. Depuis huit heures du matin, le téléphone n'arrête pas.

Lauren parcourut les feuillets amoncelés sur son bureau et nota avec satisfaction les noms des personnes qui avaient appelé.

– Il faudra les inscrire tous dans le livre d'or, à l'entrée.

– C'est déjà fait, répondit Jacqueline.

– Parfait.

Elle tenait là la preuve de sa victoire sur Riff et sur le coup qu'il avait monté contre elle. Les messages confirmaient en effet que certaines personnes, dont le nom était lié aux intérêts des McIntyre, seraient présentes à son vernissage, ne voulant à aucun prix manquer ce que Kain avait qualifié dans son article d'événement artistique le plus important des dix dernières années.

Lauren avait peu de temps devant elle pour savourer son triomphe. Mille détails restaient encore à régler avant d'aller chercher Christopher à l'aéroport.

Elle était occupée à lire une offre de contrat lorsque Jacqueline fit irruption dans son bureau, une expression de colère sur le visage. Elle n'eut pas besoin de s'expliquer car, aussitôt derrière elle, se profila la silhouette de Riff.

Lauren bondit de son siège.

– J'ai ouvert la porte, pensant qu'il s'agissait d'une livraison. Il m'a bousculée et...

– Ne vous en faites pas, Jacqueline, fit Lauren en se forçant à rester calme. Le manque de savoir-vivre du sénateur est connu de tous!

Riff claqua la porte au nez de l'assistante.

– Alors, fit-il sans bouger de sa place, vous avez réussi votre coup, hein!

– Vous n'êtes pas ici pour me féliciter, je suppose. Alors, venons-en tout de suite au fait, Riff, et ensuite allez-vous-en.

– En effet, je ne suis pas là pour vous applaudir. Je vous apporte ceci.

Il s'avança et laissa tomber sur la table une enveloppe brune.

– Qu'y a-t-il là-dedans?

– Une proposition de ma famille... Une traite d'un million de dollars à votre nom et un contrat qui stipule que cette somme vous sera versée si vous acceptez de devenir ma femme. Dans trois ans, si nous sommes toujours mariés, vous recevrez un autre million. Il y a d'autres petits détails dont vous prendrez connaissance, mais l'essentiel est que vous annonciez votre intention de m'épouser au cours du vernissage de ce soir. Je dois présider mon gala à la même heure et ne pourrai donc être présent... C'est aussi bien, je crois. Vu les circonstances, chacun sera persuadé que tout a été organisé ainsi par respect mutuel.

– Oh! que c'est bien manigancé! La parfaite union!

– Vous n'aurez plus jamais de souci à vous faire pour votre galerie. Vous serez inattaquable sur le plan financier, avec ma famille comme garant. Evidemment, personne ne devra savoir que nous avons passé ce marché. Aux yeux du public, vous aurez pris votre décision de votre plein gré.

– C'est ce que je vais faire tout de suite!

– N'oubliez pas, Lauren, que vous avez gagné la première escarmouche, mais pas la guerre!

– Oh! Que si, Riff!

Il la regarda froidement.

– Lauren, dit-il comme s'il s'adressait à une demeurée, sachez qu'il n'existe pas de victoire complète. La vie est une lutte perpétuelle. Le pendule de nos destinées se balance de droite et de gauche. Aujourd'hui, il est de votre côté, nous le reconnaissons volontiers et sommes prêts à négocier avec vous pour des raisons pratiques.

– Oui, je les connais! Voyons, Riff, vous allez vous couvrir de ridicule!

Le sénateur piqua un fard.

– Je n'ai pas l'intention de négocier, poursuivit Lauren, et ma décision, la voilà : sortez d'ici immédiatement.

Elle traversa la pièce, gagna la porte d'entrée et l'ouvrit toute grande.

Derrière le silence de l'homme, elle sentait la force de sa colère. Sa mâchoire tremblait. Il saisit l'enveloppe et la fourra dans sa poche.

– Vous le regretterez, dit-il entre ses dents. Vous n'êtes qu'une femme sans appui. Nous, nous sommes une institution. Bien sûr, vous avez réussi à prouver qu'une femme seule peut faire beaucoup de dégâts. Mais je vous avertis : c'est nous qui gagnerons en dernier ressort, pour la seule raison que nous sommes nombreux.

– Heureuse que vous m'ayez épargné votre petit discours sur la justesse de votre cause.

– Qu'elle soit juste ou pas n'a rien à voir ici. Il ne s'agit que d'obtenir ce que nous voulons.

– Eh bien, c'est dommage pour vous! Le ciel vous tombera sur la tête avant que j'accepte votre marché.

Les yeux de Riff prirent un éclat étrange.

– Le marché!... Ah oui! Justement... C'est bien avant nous, évidemment, mais je suppose que vous avez entendu parler du désastre financier de 1929. Du jour au lendemain, toutes les fortunes s'écroulèrent! Pensez-y!

Il sourit et quitta les lieux avec une assurance qui laissa Lauren rêveuse.

Mais les McIntyre, la galerie et les mois de solitude s'évanouirent dès qu'elle aperçut Christopher, tout de beige vêtu, dépassant d'une tête la foule qui se pressait vers le contrôle douanier.

Ils s'étreignirent longuement en silence, et Christopher lui effleura les doigts et le visage d'une main caressante. Ils se regardaient comme s'ils n'arrivaient pas à étancher la soif qu'ils avaient l'un de l'autre. Enfin, il l'attira à lui et l'embrassa d'abord avec tendresse puis avec une avidité d'affamé.

– Allez, venez, dit-elle lorsqu'il relâcha son étreinte. Cavalier vous réserve une surprise.

– Une souris morte?

– Non, non! En votre absence, il s'est considérablement transformé!

– Vous m'intriguez!

– Attendez-vous au pire!

Pendant que Christopher défaisait ses valises, Lauren apporta la surprise qu'elle posa par terre à côté du feu de cheminée.

– Eh bien, eh bien! fit Christopher avec un large sourire, en voilà du joli! Petit fripon!

Assis fièrement près de la boîte où dormaient quatre chatons sous l'œil attentif de leur mère, Cavalier se lissait les moustaches d'une patte agile.

– Il a rencontré sa belle dans une allée du parc, sans doute, et l'a ramenée à la maison... Voilà le résultat!

Tandis que Christopher s'agenouillait pour mieux admirer la petite famille, Cavalier vint se frotter contre ses chevilles.

– Alors, mon gros matou, as-tu réussi à te faire à ta vie familiale et à rendre ta compagne sage et honnête?

– Les intentions de Bella ont toujours été des plus loyales! Quant à Cavalier, il a été d'une délicatesse extrême : il a préféré attendre votre retour pour procéder à la cérémonie... Nous avons d'ailleurs pensé qu'il serait judicieux de célébrer un double mariage...

Christopher leva la tête.

– Ai-je bien entendu? demanda-t-il avec une prudence souriante.

– Oui... une sorte de... proposition...

– C'est ce que j'ai cru comprendre...

– Et vous ne vous êtes pas trompé, répondit Lauren, soudain intimidée.

Christopher se leva et l'enlaça. Elle lui jeta les bras autour du cou, mi-riant, mi-pleurant.

– Je vous aime tant, Christopher Reynolds! Quelle différence cela fait-il quand l'océan nous sépare? L'océan, ce n'est rien! Je vous appartiens quelle que soit la distance entre nous. Je suis à vous, complètement...

Il lui coupa la parole en prenant fougueusement possession de ses lèvres.

Pendant ses longues semaines de solitude, elle avait eu tout loisir de penser que cet homme qu'elle aimait avait peut-être trouvé une consolation physique entre les bras d'une autre femme. Mais, lorsqu'il la souleva et la porta dans la chambre, ses soupçons s'évanouirent d'un seul coup.

Ce fut avec une tendre satisfaction qu'elle découvrit les preuves de sa fidélité: son impatience à la posséder était difficile à refréner. Il était terriblement puissant, mais en même temps étrangement doux et sensible.

Jamais une femme ne pourrait espérer amant plus parfait, pensa la jeune femme tandis qu'il la déshabillait lentement.

Il avait une compréhension instinctive des besoins féminins. De même qu'il aimait varier les couleurs de ses toiles, il savait éveiller en elle un flamboiement de désirs.

Ayant défait son chemisier, il le laissa tomber à terre. Sa respiration se précipita et ses yeux sombres scintillèrent. Lorsqu'il l'embrassa profondément, elle entrouvrit les lèvres, le laissant explorer sa bouche tandis que grandissait en eux le désir qu'il avaient l'un de l'autre. Elle se colla à lui et, instinctivement, il ondula contre elle.

– Oh! Ma superbe Lauren! Si vous saviez... je vous ai désirée tellement, tellement...

Elle contempla ses yeux à demi fermés, sachant l'effort énorme qu'il faisait sur lui-même pour ne pas la prendre immédiatement afin de satisfaire le désir insensé qu'il avait d'elle.

– Et vous, mon amour... Si vous saviez combien je souhaitais ce moment...

Lauren ferma les yeux et soupira.

Elle avait envie de lui de mille et mille façons. Lui seul pouvait satisfaire tous les fantasmes qu'elle avait échafaudés pendant les longs mois de son absence. Son ivresse n'avait rien de poétique, mais venait du fin fond d'elle-même. C'était un appétit qu'elle n'avait encore jamais ressenti avec une telle intensité. Elle se sentit audacieuse et il n'en fut pas choqué, au contraire.

Ses mains expertes caressaient les courbes du corps de la jeune femme, s'attardant sur son ventre et ses cuisses. Puis il la tourmenta délicieusement, tendrement, de ses doigts habiles, jusqu'à ce qu'elle le supplie de ne plus la faire attendre.

Mais il voulait encore la tenir à sa merci.

Irrésistiblement, il l'amenait par des chemins ignorés à des limites toujours plus lointaines. Le souffle qui parcourait son corps était chaud, ses mains sûres et savantes, et sa langue agissait comme une force démoniaque qui faisait battre le cœur de la jeune femme à coups redoublés, augmentant sa torture. Il l'entraînait jusqu'au sommet du plaisir, toujours plus haut, et s'arrêtait quand la boule de feu qu'elle avait au creux de l'estomac était près d'exploser. Il la laissait alors s'apaiser puis recommençait.

Lauren fermait les yeux pour mieux goûter le bonheur qu'éveillait en elle cette bouche sensuelle qui la parcourait toute. Christopher, de plus en plus hardiment, explorait tous les secrets de son corps. Et tout le temps que dura son divin tourment, elle savait que ce qu'ils éprouvaient était dicté par un amour profond, généreux, partagé.

D'un geste convulsif, elle lui passa la main dans les cheveux. Elle l'entendit gémir, lui dire qu'il l'aimait. Il se pressa davantage contre elle. Eperdue, elle murmura son nom, comme secouée d'un spasme de radieuse délivrance.

Des vagues de plaisir fondirent sur elle en cascade, comme une myriade d'étoiles dans un ciel à minuit.

– Christopher... Oh! Chris!

Elle haletait, submergée par cette douce agonie. Quand les battements de son cœur ralentirent, un flot de larmes inonda ses yeux. C'étaient des larmes de joie, de reconnaissance, d'étonnement et d'adoration pour cet homme qu'elle aimait, qui pressait son visage contre son ventre, comme transfiguré par le plaisir qu'il venait de lui procurer.

Avec amour, ils s'étreignirent longuement. Il goûta ses larmes sur ses joues, les but sur ses lèvres. De ses seins nus, elle frôla la toison soyeuse de sa poitrine. Il trembla et gémit plusieurs fois.

– Petite sorcière!...

Il la contempla un moment, s'abreuvant à sa beauté. Puis il s'allongea sur elle, la couvrit de son corps chaud, musclé, viril, et murmura son nom, et le répéta, et le redit cent fois. Elle lui répondait en lui chuchotant des mots d'amour. Enfin leurs corps se soudèrent en une explosion de bonheur.

Autant leurs épanchements amoureux avaient été brûlants et emportés, autant fut calme et doux le repos qui suivit. Elle se nicha dans le creux de son bras, une jambe repliée contre son ventre.

– Ce sera toujours ainsi, murmura-t-elle. Chaque jour, chaque nuit... pendant toute notre vie.

Il ne répondit rien.

Elle scruta son visage, pensant qu'il s'était endormi. Mais non... Il avait les yeux fixés sur le plafond.

– Qu'y a-t-il?

– Pardon... Je me demandais si je n'avais pas fait un rêve...

Elle ne sut pas exactement ce qu'il voulait dire.

Chapitre 15

Les résultats de l'exposition de Wilm dépassèrent les espérances les plus optimistes de Lauren. Pour se récompenser d'avoir surmonté les difficultés de l'entreprise, elle décida de s'offrir une robe haute couture qu'elle acheta chez *Neiman Marcus* à Beverly Hills. C'était un fourreau de soie bleue sur lequel cascadaient des myriades de petites perles de verre dont l'azur rehaussait la couleur de ses yeux et la profondeur de sa chevelure couleur de nuit. Quand elle marchait, la robe ondulait sur ses hanches et les perles semblaient dessiner les courbes de son corps svelte.

Plusieurs critiques devaient écrire qu'il était difficile de savoir quelle était la véritable vedette de ce vernissage. Evidemment, sur le plan financier et artistique, les lithos de Wilm retenaient l'attention de tous; elles furent d'ailleurs intégralement vendues dès le milieu de la soirée.

L'atmosphère était chargée de l'excitation que l'on ressent les soirs de générale dans les grands théâtres new-yorkais, lorsque la foule attend avec impatience que l'acteur vedette entre en scène.

Lorsque Christopher apparut, en smoking noir et nœud papillon, tous les regards se tournèrent vers lui. Il se déplaçait avec une élégance féline, comme une superbe panthère parcourant son territoire avec assurance. On savait qu'il avait le vent en poupe et que, d'ici peu, il rivaliserait avec les plus grands, même avec Wilm. Et comme il était beau, jeune et pas encore inabordable, chacun, ce soir-là, voulait profiter un peu de sa présence.

Mais c'était aussi la soirée de Lauren, qui obtenait enfin l'hommage du monde des arts. C'était une gagneuse et les gens aiment les vainqueurs. Comme le disait un vieux dicton présent à toutes les mémoires, « le succès, c'est contagieux ». Wilm avait accepté d'exposer ses œuvres chez elle, elle tenait apparemment Reynolds, elle aurait sûrement bientôt d'autres célébrités à son catalogue. Et tous voulaient être de la prochaine fête.

Elle était en train de faire à un groupe de directeurs un petit exposé sur la différence entre la technique de Wilm et celle de Picasso quand Christopher s'approcha d'elle et, s'excusant auprès des personnes qui l'entouraient, l'entraîna dans son bureau. Il claqua la porte et la ferma à double tour.

– Christopher! Que se passe-t-il?

– Ceci, dit-il en la prenant dans ses bras et en l'embrassant dans le cou.

Elle sentit sa main remonter sous sa robe le long de ses jambes et de ses cuisses.

– Oh! Chris! Vous êtes vraiment insatiable!

Elle se mit à rire.

– Oui, en effet, je le suis!

– Je crois que... moi aussi...

– C'est merveilleux!

Il tira la fermeture Eclair de sa robe qu'il fit glisser à terre.

– C'est très vilain! fit-elle, ravie.

– Oh oui! C'est même une honte!

Il se débarrassa rapidement de ses vêtements. Elle lui tendit les bras.

– Oh! Chris... Je suis si heureuse!

Et, tandis que Wilm écrivait une page d'histoire de l'art dans les salons de la galerie *Lauren Taylor*, la directrice et son peintre préféré, retirés du monde, s'aimaient passionnément à l'abri de son bureau.

Plus tard, ils regagnèrent la salle où ils se perdirent dans la foule, happés par divers groupes d'admirateurs. Il y avait tant de monde que c'en était presque intenable. Contrairement à ce qui arrivait d'ordinaire dans ce genre de réception, personne ne s'était décommandé. Les gens s'écrasaient littéralement.

Tout à coup, Lauren vit Christopher se frayer un chemin vers elle au milieu de la foule mouvante. Son expression était sinistre.

– Il y a dans votre bureau quelqu'un qui veut vous parler.

– Oh! Chris, vous n'allez quand même pas recommencer! Je suis avec des clients... sur le point de faire une vente...

– Il faut y aller tout de suite.

– Mais Chris, je vous dis que...

– Lauren, cela ne peut pas attendre.

Et, sans un mot d'excuse, il la prit par le coude et l'entraîna.

Nigel Croup était adossé au mur, tripotant nerveusement son nœud de cravate.

– Dites-lui, fit Christopher en fermant la porte.

Le regard de Nigel alla de l'un à l'autre.

– Eh bien, j'étais au gala organisé par les McIntyre et j'ai assisté à la première heure de la vente... Je voulais voir qui emporterait le Vermeer et je désirais également venir ici où avait lieu le véritable événement.

– Je vous en prie, Nigel, interrompit Lauren avec impatience.

Elle sentait monter la tension de Christopher et

se dit que, si Nigel n'en venait pas rapidement au fait, il y aurait un incident.

– Dites-moi la raison de votre inquiétude. Je suppose qu'il s'agit d'une chose importante, non?

– Oui. Quand je me suis décidé à partir, le sénateur était dans le hall et discutait ferme avec son père. Bien entendu, ç'aurait été mal élevé d'avoir l'air de prêter l'oreille et je n'aurais pu rester là, à écouter sans me faire remarquer. Alors je me suis arrangé pour gagner la sortie le plus lentement possible et j'ai entendu le sénateur déclarer très haut que d'ici une semaine, Lauren Taylor n'aurait plus qu'à fermer boutique parce qu'elle aurait perdu toute la confiance de ses clients. C'était terrible, je vous assure.

– Merci, dit Lauren, mais ne vous tracassez pas. Le sénateur brandit toujours des menaces... Ce n'est que du vent.

Pourtant elle était soucieuse. Riff n'aurait pas osé prononcer de telles paroles si elles n'étaient étayées par une certitude que Lauren ne parvenait pas à imaginer. Sur quoi était-elle fondée? Elle n'en avait pas la moindre idée et c'était justement ce qui la troublait.

Il restait à Christopher une semaine avant de partir pour l'Italie. Il en passa une partie à étudier un projet qu'il avait reçu de Londres, d'après lequel il devait exécuter un triptyque pour un nouveau centre culturel. Le reste du temps, il était auprès de Lauren qu'il ne quittait pas d'une semelle.

Deux jours avant le vernissage de l'exposition de Wilm, Holly Adler avait téléphoné ses regrets de ne pouvoir y assister.

« Je tourne un film, avait-elle expliqué. Mais je resterai en contact avec vous et vous souhaite tout le succès possible. »

Elle avait ensuite insisté auprès de Lauren pour

qu'elle lui envoie l'argent tout de suite par courrier exprès.

Aussi, le lendemain du vernissage, Lauren tenta-t-elle de la joindre à son hôtel berlinois pour lui faire part du succès financier de l'entreprise.

– Mlle Adler a quitté l'hôtel il y a plus d'une semaine, lui répondit le concierge dans un anglais fortement marqué d'accent allemand.

Holly appela quelques heures plus tard. Elle était très excitée, ayant lu dans les journaux du matin la critique élogieuse et enthousiaste de Kain.

– Tout a été vendu! C'est fantastique, Lauren!

De nouveau, elle réclama l'argent.

– Le chèque est fait. Je vous l'envoie demain.

– Parfait.

Puis, comme si de rien n'était, elle ajouta:

– A propos, je vais vous donner ma nouvelle adresse.

Elle indiqua à Lauren un numéro de boîte postale.

– J'ai quitté l'hôtel hier seulement, ajouta-t-elle. On a enfin terminé le film à onze heures du soir. Dommage que je n'aie pu me libérer plus tôt, sinon j'aurais été des vôtres, bien entendu... Actuellement, je suis comme l'oiseau sur la branche. Je ne sais pas où je serai demain, alors la boîte postale, c'est mieux...

Ce ne fut que quelques secondes après avoir raccroché que Lauren se rendit compte que Holly lui avait menti. Pour la première fois, elle se sentit vraiment mal à l'aise. Pourtant, Christopher n'avait cessé de la mettre en garde contre les agissements de la chanteuse.

Le peintre la regarda, perplexe.

– Qu'est-ce qui ne va pas? demanda-t-il.

– Rien... rien...

Mais son regard fuyant alarma Christopher.

– Dites-moi la vérité, Lauren... A quoi serviraient les futurs maris sinon à prêter une oreille attentive à leurs futures femmes?

Elle l'embrassa, ce qui était bien plus facile que d'admettre qu'il avait peut-être eu raison à propos de Holly.

– J'ai un problème avec Holly, fit-elle après un moment de silence. Elle ne joue pas franc jeu avec moi... Elle m'a menti...

– En quoi?

– Elle m'a trompée sur la date à laquelle elle a quitté son hôtel à Berlin. Elle avait sans doute ses raisons pour ne pas vouloir que je la connaisse mais...

– Mais vous refusez toujours de me croire quand je vous dis que cette fille va vous...

– Va me... quoi?

Christopher s'était levé et se tenait debout devant elle dans une attitude autoritaire qui l'agaça prodigieusement. Elle n'aimait pas se sentir dominée. A son tour elle se redressa, prête à défier son jugement.

– Franchement, Chris, que peut-elle contre moi? Elle m'a livré des lithos impeccables, comme promis, l'exposition est terminée. J'ai touché l'argent, alors... que peut-elle faire?

– Quelque chose...

Le mot mourut sur ses lèvres mais sa conviction y était enfermée. Pensivement, il gagna le mur de verre et regarda, de l'autre côté du canal, les maisons illuminées pour Noël. Elles brillaient et se reflétaient dans l'eau. Toute cette gaieté paraissait incongrue à Lauren qui pensait à la fragilité de son propre univers.

– Quelque chose... quelque chose... je ne vois pas quoi!

– Lui avez-vous déjà envoyé l'argent?

– Non, pas encore. Le chèque est prêt, je le lui expédierai demain.

– Ne l'envoyez pas.

Il se tourna vers elle, l'air préoccupé.

– Voyons, Chris, je ne peux pas manquer à ma parole! Tout a été convenu par contrat.

– J'ai entendu dire que Holly avait rompu beaucoup de ses contrats avec un tas de gens!

– Eh bien, je ne me chauffe pas de ce bois-là. Holly a été loyale avec moi et je m'en tiendrai à ce que j'ai signé. J'ai la prétention de croire que c'est grâce à mon intégrité que je suis arrivée à la situation que j'ai.

Christopher s'approcha d'elle.

– Peut-être que cette fois-ci, votre code moral causera votre ruine. Comment se fait-il que vous ne compreniez pas que, dans certains cas, la souplesse est préférable à l'intransigeance?

Il s'exprimait d'un ton furieux. Lauren dut reconnaître que son raisonnement n'était pas dénué de bon sens mais elle ne changea pas d'avis pour autant.

Le lendemain, elle arriva à la galerie plus tôt que de coutume. L'enveloppe adressée à Holly était toujours sur son bureau. Elle remit à plus tard l'obligation où elle se trouvait de faire la part du juste et du raisonnable. Pour l'instant, l'exposition avait suscité un déluge d'appels téléphoniques et de lettres qui demandaient tous des réponses immédiates.

Vers la fin de la matinée, Christopher parut dans l'entrebâillement de la porte, veste jetée négligemment sur l'épaule.

– Vous allez être la femme d'un artiste de grand renom!

– Pourquoi? Ça y est? Vous avez l'affaire de Londres?

Elle se précipita dans ses bras avant qu'il ait eu le temps de lui donner la moindre confirmation. Il la souleva et la fit virevolter, l'embrassant et parlant en même temps.

– Je retourne en Italie pour terminer le travail commencé, et puis... en route pour Londres! On m'y procure un appartement superbe, paraît-il.

– Oh! Chris, c'est merveilleux. Avez-vous une idée de ce que cela représente?

– Cela veut dire que nous allons nous marier avant Noël. On pourrait partir pour Las Vegas demain... Aujourd'hui, malheureusement, j'ai des papiers à signer chez mon avocat et un contrat à mettre au point. Incidemment, je vous signale qu'on m'offre un véritable pactole. Je pourrai entretenir ma femme sur un grand pied!

Il avait l'air radieux. Chaque succès le rendait plus beau, plus séduisant, plus attirant, plus maître de lui. Et maintenant, il la dominait complètement.

– Nous prendrons donc l'avion demain après-midi et, le soir même, vous serez Mme Christopher Reynolds... pour l'éternité.

Il l'embrassa si ardemment, si tendrement que les larmes lui montèrent aux yeux.

– D'accord, fit-elle.

– Mon Dieu! Je n'arrive pas à y croire!... Je craignais tellement que vous ne reveniez sur votre décision!

– Il n'en est pas question! Je veux des fleurs, du champagne, de la musique, des regards langoureux quand nous prononcerons le « oui » fatidique et un joli discours tout plein de niaiseries romantiques à la fin de la cérémonie!

– Et moi, je veux pouvoir arracher chacun de ces

vêtements et caresser votre beau corps de mes mains brûlantes, puis vous coucher sur ce sofa et vous aimer... vous aimer éternellement! Mais hélas, nous autres artistes, nous devons toujours courir de par le monde... Vous savez ce que c'est!

Oh oui! pensa-t-elle, je connais la vie d'artiste... et c'est vraiment merveilleux d'avoir du succès!

Christopher l'embrassa rapidement et sortit à reculons, sans la quitter des yeux. Elle sourit en songeant qu'elle était heureuse qu'ils aient tous deux, en même temps, rencontré la gloire et la fortune. L'existence valait vraiment la peine d'être vécue!

Sur son bureau, l'enveloppe adressée à Holly Adler semblait la défier. Lauren ferma les yeux : le moment était venu de régler le problème. Demain soir, elle serait Mme Christopher Reynolds. Elle le voulait, ô combien! Mais ce n'était pas une raison pour perdre son identité. Elle resterait toujours Lauren Taylor au fond d'elle-même. Le mariage devait être l'union de deux individus indépendants, aux personnalités bien définies, sinon la vie commune avait toutes les chances de courir au désastre. Elle se remémora le jour où elle avait rencontré Chris pour la première fois : il mourait de faim à l'époque, mais, depuis lors, quel changement! Elle n'avait plus à jouer les bonnes fées. Il était capable maintenant de réaliser ses propres miracles. Il fallait absolument maintenir l'égalité entre eux. Donc, Holly Adler aurait son argent : elle allait tout de suite porter l'enveloppe à la poste.

Chapitre 16

Une heure plus tard le chèque de Holly partait en exprès. Elle le recevrait le lendemain et tout serait réglé.

Lauren se sentait tellement euphorique qu'elle prit le temps d'aller déjeuner chez *Scandia* avec une amie.

Encore sous l'effet d'un champagne brut des plus coûteux, elle s'apprêtait à pénétrer dans la galerie quand Kain – surgi de nulle part, à ce qu'il semblait – se précipita sur elle, laissant échapper son attaché-case qui tomba avec fracas sur le trottoir. Il la saisit par la manche.

– Maxwell... Qu'est-ce que...

Elle crut d'abord qu'il était malade.

– Je vais vous conduire en prison, siffla-t-il.

– Lâchez-moi! Vous êtes fou! dit-elle en essayant de se dégager.

– Petite fripouille, sale tricheuse! dit-il avec hargne. Vous m'avez rendu ridicule.

Il criait. Un groupe de piétons s'arrêta et les dévisagea.

– Maxwell, murmura Lauren, en se demandant tout à coup s'il n'était pas sous l'empire de l'alcool ou d'autre chose, venez avec moi, nous allons discuter tranquillement dans mon bureau.

– Non! Je veux que tout le monde m'entende! Je

veux que tout le monde sache ce que vous êtes, hurla-t-il.

Lauren réussit à se dégager et à gagner rapidement la galerie.

– Hé! vociféra-t-il, voyez, mademoiselle Taylor... voyez ce que je vais faire.

Jacqueline et deux autres employés étaient en pleine discussion avec de gros clients. Tous se turent et, médusés, regardèrent Kain ouvrir sa sacoche et en tirer la litho de Wilm qu'il s'était achetée.

– Voilà... voilà ce que valent les lithos que les clients de Mlle Taylor ont achetées à prix d'or comme des imbéciles, faisant confiance à cette escroc en jupons!

Sans quitter Lauren des yeux, il déchira lentement l'œuvre de haut en bas et jeta les morceaux sur le trottoir.

– Maxwell, vous êtes fou! Vous venez de détruire un chef-d'œuvre qui vaut une fortune!

– Rien! Rien du tout! voilà ce qu'il vaut, votre chef-d'œuvre! Mais vous pouvez être sûre que je n'en resterai pas là. C'est vous que je vais anéantir maintenant. Vous verrez comment!

Il fit volte-face et s'en alla brusquement, laissant son public muet de surprise.

Dans la demi-heure qui suivit, les appels téléphoniques commencèrent à pleuvoir. Lauren prit les quatre premiers, l'un du Brésil, l'autre de Hong Kong, le troisième d'Australie et le dernier d'un client dont la fureur était telle que son anglais était aussi inintelligible que son espagnol.

Après avoir raccroché, Lauren cacha son visage dans ses mains. Le téléphone sonna de nouveau, Jacqueline répondit. Son visage blêmit tout de suite. D'un geste brusque, elle débrancha l'appareil.

– Que vais-je faire? demanda Lauren, pâle comme la mort.

Pour une fois, Jacqueline qui prétendait avoir réponse à tout dut avouer qu'elle n'en savait rien.

Lauren était seule dans le noir sur le sofa du salon quand Christopher rentra ce soir-là. La porte claqua derrière lui et la lumière jaillit.

– Lauren? Lauren?

Elle demeura immobile, les yeux dans le vague, insensible, aveugle. Elle n'était plus rien. Elle n'avait plus rien.

– Rien... rien... répétait-elle tout bas.

– Que se passe-t-il?

Elle l'entendit s'approcher et sentit ses mains se poser sur ses épaules. Il la regarda dans les yeux.

– Que diable... Lauren!

Elle comprit que son regard vide et son expression hagarde étaient terribles à soutenir. Il la secoua.

– Qu'est-il arrivé, Lauren? Dites-moi, mon amour...

Elle éclata en sanglots.

– J'ai tout perdu!

Elle n'en dit pas davantage, mais ces quelques mots la soulagèrent. Ses larmes tarirent peu à peu. Elle prit le verre que lui tendait Christopher.

– Je n'aime pas le scotch, fit-elle en plissant le nez.

– Buvez quand même... pour l'amour de moi.

Elle obtempéra et s'en trouva bien. Les événements de l'après-midi lui parurent soudain moins pénibles. A petits coups, elle raconta ce qu'elle avait subi.

– Je ne sais pas encore comment cela a pu arriver, mais les lithos que j'ai vendues à mes clients avec la garantie d'exclusivité ont été déversées sur les acheteurs du monde entier...

– C'est Holly...

Christopher frappa du poing sur la table et se versa un autre verre.

– Cela aurait pu être pire, dit-il enfin, pensivement. Si vous lui aviez envoyé le chèque, alors vraiment, vous seriez au fond du gouffre. Au moins, vous allez pouvoir dédommager la clientèle.

Un pâle sourire se dessina sur les lèvres de la jeune femme; puis elle fut prise d'un rire nerveux qui la secoua tout entière. Christopher la dévisageait, effaré.

– Mon Dieu, dit-elle dans un souffle... Vous avez été plus fort que moi... Vous m'aviez prévenue... Et pourtant, je l'ai fait, j'ai envoyé le chèque...

– Oh! Mon Dieu...

Lauren se leva et quitta la pièce.

Le lendemain seulement, le détail des malversations de Holly apparut en pleine lumière : la proposition de Lauren lui ayant paru bien plus lucrative et moins fatigante que de tourner un film, la chanteuse, qui était sans doute corrompue mais pas stupide et qui sentait que Wilm commençait à se lasser d'elle, avait décidé qu'elle n'endurerait pas le sort des autres égéries du peintre. Il la renverrait sans doute, mais pas avant qu'elle se soit arrangée pour lui soutirer une substantielle réserve de marks allemands. Elle se savait encore suffisamment dans ses bonnes grâces pour obtenir son accord sur le sujet des lithos.

– Je crois, fit Lauren à Jacqueline qui la regardait marcher de long en large, que Holly aurait pu réaliser une partie de son plan toute seule. Mais elle n'aurait jamais eu assez d'argent pour le mener à bien sans l'aide de quelqu'un. C'est clair comme de l'eau de roche.

– Pas pour une pauvre petite Française comme moi, interrompit Jacqueline. Expliquez-moi.

– Riff! Cela ne peut être que lui! Il a dû tomber sur les photos du journal montrant Christopher et Holly à Berlin et s'est dit que, si ces deux-là se mettaient ensemble, je serais libre de tomber dans son lit de politicard prévoyant! Alors, il a pris contact avec cette fille, lui a parlé de notre affaire et a mis en marche la machine qui devait m'écraser pour me punir de ne pas m'être pliée à ses exigences.

– Vous croyez qu'il lui a donné de l'argent?

– Sans aucun doute! Il lui fallait gagner à sa cause pas mal de gens. Elle les a donc corrompus pour atteindre son but! Elle a pris contact avec des galeries et des typographes soigneusement sélectionnés dans le monde entier et leur a proposé, comme à moi, l'exclusivité des lithos de Wilm à une seule condition : qu'ils tiennent leurs langues jusqu'au jour du vernissage. Et, ce jour-là, toutes les portes des galeries se sont ouvertes sur une exposition « exclusive » des œuvres du peintre! Elle a vraiment réussi un coup incroyable.

– Comment a-t-elle fait passer les lithos pour des authentiques?

– Mais elles l'étaient! Holly a utilisé chaque plaque avant que Wilm l'annule. Je ne sais ce qu'elle lui a dit... Peut-être que je les voulais... En tout cas, elle l'a convaincu, à moins qu'il ne soit tellement original qu'il ne s'occupe pas de ce genre de détails. Puis elle s'est mise d'accord avec un graveur et la boucle était bouclée! Un faussaire qui imprime des billets de banque sans avoir l'or garantissant leur valeur n'agit pas autrement!

– Alors, elle est très riche, maintenant!

– Oui... et moi, je suis ruinée.

– Non, criait Lauren, non!

– Je ne vois aucune raison qui nous empêche de nous marier, insistait Christopher. Notre avenir n'a rien à voir avec ce qui est arrivé à la galerie.

– Mais si, justement!

Elle s'en voulait d'être aussi déraisonnable, mais se sentait comme sous l'effet d'un courant électrique.

– Je ne demande rien d'autre que d'être aimé, Lauren.

Il avait déjà fait leurs deux valises, pris les billets d'avion pour Las Vegas et sorti leurs manteaux. Lauren savait qu'il avait les anneaux sur lui.

– Comment pouvez-vous encore m'aimer? demanda-t-elle à mi-voix.

– Et vous, comment pouvez-vous me poser une question pareille? Je ne suis pas une girouette qui tourne à tous les vents! Je vous aime, moi!

Il hurlait presque. Lauren lui répondit avec humeur :

– Vous êtes si bon! Vous avez tellement raison! Vous avez la magnanimité de ne pas me jeter ma stupidité à la figure! Cela me serait égal, d'ailleurs, je n'ai plus aucun amour-propre!

– Je souhaiterais pouvoir répondre que c'est votre problème. Mais c'est impossible... Tout ce qui a rapport à vous me touche.

– Je suis désolée, Christopher.

Et elle l'était, en effet, mais elle s'était prise dans ses propres filets.

– Combien d'argent devez-vous? demanda Christopher, changeant brusquement de sujet de conversation.

– Plus que je ne possède...

– Que comptez-vous faire?

– Avant ou après avoir été lynchée? demanda-t-elle amèrement. Je vais rembourser ceux qui m'ont acheté des lithos en vendant tout ce que je possède.

– Pourquoi? Vous n'avez pas l'intention de vous battre?

– Avec quoi?

Il lui proposa de l'aider en demandant une avance sur ses prochains émoluments. Elle ne fit qu'en rire. Tout cela était insignifiant en regard de l'énormité de sa dette. Ce fut du moment où elle refusa cette offre que leurs relations prirent un tour nouveau. Elle s'en rendit compte plus tard.

La série d'articles cinglants destinés à détruire sa réputation parut le lendemain dans le *Los Angeles Times.* Kain n'avait jamais eu la dent si dure ni le verbe aussi cinglant. La galerie ressemblait à une tombe. Personne n'y entrait plus.

A midi, Lauren réunit ses employés et leur fit un petit discours : à son grand désespoir, ils étaient tous licenciés. Seule Jacqueline resterait encore quelque temps pour aider à la liquidation de la galerie.

Lauren ferma la porte, tira les rideaux et s'enferma dans son bureau pour se plonger dans ses comptes. Jacqueline s'occupa de prendre les coups de téléphone toujours plus haineux qui arrivaient encore. Les insinuations de Kain sur les intentions criminelles de Lauren avaient fait leur œuvre.

La seule personne qu'elle vit fut Lloyd. Il croyait en elle et voulait l'aider. Mais Lauren déclina toutes ses offres, y compris celle de prendre la direction des achats pour son futur musée. Ce n'était ni par entêtement ni par fausse fierté. Simplement, elle était réaliste : sa réputation professionnelle était ternie... elle aurait du mal à s'en relever.

Kain avait eu raison : elle était détruite.

Riff avait eu raison : il avait réussi à l'abattre.

Christopher avait eu raison : elle aurait dû suivre ses conseils.

Ce dernier lui répéta encore une fois :

– Peu m'importe que vous réussissiez en affaires ou non. C'est vous seule qui comptez pour moi. Réglez les problèmes ici et venez avec moi en Italie. J'aurai terminé mon travail là-bas d'ici un ou deux mois. Nous irons alors à Londres. Inutile de se marier si cela vous contrarie pour l'instant. C'est votre présence qu'il me faut. Je vous aime, Lauren.

Elle le regardait sans le voir. Son esprit imaginait l'avenir : Christopher recevant des honneurs, Christopher fêté par le monde des arts, interviewé par les journalistes, porté au pinacle... Christopher riche et radieux. Et, dans l'ombre, derrière lui, une Lauren désenchantée, inexistante.

– Je ne peux pas, Christopher... Je ne peux pas...

Ce fut la dernière fois qu'il lui demanda de l'accompagner.

Bien que dormant côte à côte, ils ne s'aimèrent pas ce soir-là. Tard elle resta éveillée dans le noir : jamais de sa vie elle n'avait eu aussi froid.

Le lendemain, comme d'habitude, elle alla à la galerie. Le soir, quand elle rentra, rien n'avait changé sauf que Christopher n'était plus là.

Les fêtes de Noël approchaient, mais Lauren ne se préoccupait ni de lampions ni de réjouissances. Elle liquidait son fonds de commerce, vendait les toiles qui lui restaient. Au fur et à mesure que rentrait l'argent, elle remboursait ses clients, victimes du fiasco de l'exposition Wilm. Elle ne fut invitée nulle part, ne reçut de nouvelles de personne, sauf de quelques amies d'enfance. Lorsque sa mère lui téléphonait, c'était pour lui dire d'une voix sépulcrale et embarrassée qu'elle était désolée et pensait bien à elle dans son malheur. Quant à lancer une contre-offensive, elle y avait bien songé. Mais contre qui? Personne ne l'avait ouvertement attaquée.

Holly avait complètement disparu depuis la catastrophe qu'elle avait provoquée, ce qui valait sans doute mieux pour elle. Wilm n'était peut-être pas au courant des malversations de sa maîtresse, ou alors il s'en moquait éperdument. En tout cas, il ne s'était pas manifesté. Et pour ce qui concernait Riff, Lauren n'avait aucune preuve sur quoi fonder ses soupçons. Elle était donc seule à affronter les coups des journalistes déchaînés.

Le matin de Noël, elle reçut d'Italie un petit paquet qu'elle défit pricipitamment. A l'intérieur se trouvait un ravissant écrin doublé de satin blanc renfermant un anneau d'or. Elle allait le passer à son doigt quand brusquement elle changea d'avis et referma le couvercle avec un claquement sec.

La seule chose qui lui restait en ce jour de fête, c'était sa fierté.

Elle réussit cependant à survivre. Ses journées étaient occupées par la résolution de ses problèmes financiers. Et ses nuits, elle les passait dans la solitude avec, pour unique compagnon, Cavalier dont la petite famille avait été répartie entre les enfants des voisins. Mais un jour gris et froid de janvier, en rentrant chez elle, elle apprit que le pauvre matou avait été écrasé par une voiture. Ce soir-là, elle s'effondra et le lendemain se sentit incapable d'aller travailler.

Peu de temps après, elle quitta son appartement, prit sa Porsche et conduisit jusqu'à Venice. Elle se promena le long du canal, resta un long moment sur le pont à regarder la maison où elle avait passé tant de jours heureux avec Christopher. Elle décida de rentrer et de l'appeler immédiatement en Italie. Elle lui dirait qu'elle allait venir le rejoindre, qu'elle avait besoin de lui, qu'elle l'aimait...

Un Italien lui répondit en mauvais anglais que M. Reynolds était parti pour Londres depuis une semaine sans laisser d'adresse.

Lauren avait atteint le fond du gouffre. Plus rien ne pouvait la toucher ni l'émouvoir. Elle se sentait de pierre. Pendant la première semaine de février, elle assista, impuissante, au retrait de son nom du fronton de la galerie... Ce fut le moment le plus dur pour elle.

Et voilà qu'elle apprit par les journaux que Riff avait de nouveau changé de tactique : il chantait ses louanges maintenant et prenait fait et cause pour elle, cherchant à blanchir sa réputation.

« Bien sûr, écrivait-il dans l'article qu'elle avait sous les yeux, j'ai été aussi choqué que tout le monde de découvrir ce qui était arrivé. Mais jamais je n'ai douté de l'innocence de Lauren Taylor. C'est un être exceptionnel, une femme d'affaires incomparable et je parie tout ce qu'on veut qu'elle est profondément honnête. »

Lauren froissa le journal et le jeta à terre.

– Monstre! Sale menteur! fit-elle avec rage.

On sonna à la porte. Un coursier lui remit un gros bouquet de roses rouges. C'était sûrement Christopher! Il lui en avait envoyé douze la première fois... Aujourd'hui, il y en avait deux douzaines! Elle arracha la carte d'une main fébrile.

– Vaurien! hurla-t-elle... Ignoble bandit!

D'un geste sec, elle jeta à la poubelle les fleurs que lui avait fait parvenir Riff McIntyre.

Chapitre 17

Pour la seconde fois, Lauren pénétrait dans les bureaux de Lloyd à Century City. La même secrétaire souriante la conduisit jusqu'à la pièce où travaillait son directeur.

Mais la femme qui se tenait maintenant devant Lloyd n'était plus la même.

– Heureux que vous soyez venue, Lauren!

Il lui serra chaleureusement la main et la retint un moment dans les siennes. Elle essaya de ne pas pleurer. La seule chose qu'elle voulait, c'était survivre.

– Ne vous inquiétez pas, Lauren. Votre réputation a été ternie, mais...

– Ternie! fit Lauren avec ironie.

– Disons... attaquée... Mais je suis persuadé qu'avec mon nom et mon argent, tous ces désagréments seront neutralisés. Vous n'aurez pas de mal à traiter avec vos pairs.

Lloyd ne se vantait pas. Réaliste, il voyait juste. Personne ne résisterait à une bonne affaire proposée par un homme tel que Lloyd et c'était Lauren qu'il avait choisie pour discuter des futures acquisitions de son musée. Mieux valait donc ne pas l'offenser ouvertement.

– Néanmoins, poursuivit-il, vous aurez peut-être quelques émotions dans vos rapports avec les clients. Les supporterez-vous?

– Puis-je me permettre de faire autrement?
– Je vous admire!
– Vous êtes bien le seul!
– A propos... j'ai gardé des contacts avec l'Europe.
Elle se raidit, s'attendant à l'entendre parler de Christopher. Mais il poursuivit :
– Apparemment, Wilm a découvert le pot aux roses. D'après ce que j'ai entendu dire, il ne décolère pas et il est résolu à mettre la main sur son ancienne maîtresse, coûte que coûte.
– Holly est rapide et maligne! Il aura du mal!
– Ne le sous-estimez pas. Il est fou de rage.
– D'après vous, que fera-t-il s'il l'attrape?
– Il la tuera.
Ce n'était pas une plaisanterie et Lauren n'eut pas envie de rire.

La vie reprit. Sa réapparition dans le monde des arts fut considérée par certains comme une effronterie de mauvais goût tandis que d'autres y voyaient un acte de courage. Mais Lloyd ne s'était pas trompé : armée de son carnet de chèques, Lauren était reçue avec civilité, nuancée de quelque froideur, parfois.
Un matin, Lloyd l'appela de bonne heure.
– Je vous serais reconnaissant de vouloir bien expertiser une magnifique œuvre que je voudrais acquérir. Il s'agit d'un Utrillo.
– Avec plaisir, Lloyd.
– Il vous faudra voyager.
– Où?
– A Londres.
Après un moment de silence, elle murmura :
– Curieux que cet Utrillo soit justement à Londres!
– N'est-ce pas? On ne sait jamais où se trouve son

prochain Utrillo! Et on ne voudrait pas le voir vous échapper!

– Qui? L'Utrillo?

– Evidemment.

Et il changea aussitôt de sujet de conversation.

Ainsi que Lloyd l'avait dit, il y avait bien un Utrillo à Londres. Mais, pour l'obtenir, il fallut à Lauren un nombre incalculable de visites au vendeur. Heureusement, Lloyd et sa femme Buffy avaient insisté pour qu'elle quitte l'hôtel et s'installe dans leur confortable appartement du West End, où de nombreux domestiques étaient à sa disposition. Elle ne fit aucune difficulté pour accepter leur hospitalité.

Bien entendu, le nom de Christopher était souvent prononcé dans le monde des arts qu'elle fréquentait. Il était à la une des journaux et sa photo s'étalait dans tous les magazines. Le succès semblait lui réussir : il était plus beau et plus séduisant que jamais.

Enfin, un après-midi, Lauren put annoncer à Lloyd, avec un certain soulagement, que sa mission était accomplie.

– Je quitte Londres après-demain pour Los Angeles.

– Vous avez fait merveille dans vos tractations pour obtenir cet Utrillo. Je vous en félicite. Mais... j'ai pensé qu'il y a une grande quantité d'œuvres intéressantes dans ces grandes familles aristocrates anglaises qui souffrent actuellement de la récession économique...

Il insista pour qu'elle prolonge son séjour et, bien qu'elle ne le voulût pas, il eut le dernier mot.

La présence continuelle et invisible de Christopher lui pesait. Elle ne pouvait rien faire pour éviter de penser à lui. Le seul moyen, se dit-elle, de se débarrasser de ses fantasmes, c'est d'affronter la réalité sans détour. Elle décida donc, un beau matin, d'aller le voir. Elle prétexterait que Lloyd lui avait demandé de le rencontrer au sujet de son futur musée.

Trois heures avant de se rendre chez lui, elle se prépara pour cette visite, changea quatre fois de tenue et, finalement, endossa une robe de lainage jaune paille qui flattait son teint laiteux. Ses cheveux flottaient sur ses épaules, encadrant son fin visage.

Christopher occupait à Londres une élégante maison de pierre, récemment rénovée, située dans un des quartiers les plus chic.

En chemin, Lauren s'obligea à ne pas penser... Trop dangereux! Prenant son courage à deux mains, elle grimpa les marches du perron, actionna le heurtoir et, prise de panique, se préparait à fuir lorsque la porte s'ouvrit. Les yeux de Christopher se posèrent sur elle. C'était comme une brûlure... Elle resta là, un sourire figé aux lèvres, le fixant intensément et comprenant qu'il lui serait impossible de mettre fin à ce qui lui semblait devoir durer éternellement.

– Christopher, fit-elle enfin avec une gaieté factice, quelle chance que vous soyez là! Lloyd m'a priée de vous rencontrer au sujet de son musée.

– Vous avez de la chance de me trouver à la maison, dit-il après un moment de silence. En général, je suis au Centre à cette heure-ci.

Une mèche de cheveux soufflée par le vent était entrée dans l'œil de Lauren et la faisait pleurer. Mais elle ne voulut pas essuyer la petite larme qui coulait sur sa joue de peur que Christopher ne surprît son geste et ne se méprît sur sa cause.

– J'ai tenté ma chance, dit-elle. D'ailleurs, j'ai d'autres personnes à voir.

– Entrez.

Ce n'était pas une invitation, mais plutôt une suggestion qui lui donna l'envie de se dissoudre dans l'air. Mon Dieu, qu'il était terrible d'aimer!

– Vous êtes sûr que je ne vous dérange pas? Vous avez le temps?

– A vrai dire, non! Mais je travaillerai en bavardant.

Elle monta l'escalier derrière lui comme la première fois qu'elle l'avait rencontré à Venice. Son studio, au troisième étage, était une pièce immense, avec un parquet de bois jonché de toiles en cours d'exécution. La grande baie vitrée donnait sur un jardin à l'anglaise bien entretenu.

– C'est splendide, s'exclama Lauren.

Christopher était à son chevalet, mélangeant ses couleurs et se concentrant sur sa toile comme si elle n'était pas là. Elle regarda les œuvres pendues aux murs ou à demi terminées sur des tréteaux. Toutes étaient d'une facture superbe. Le style de Christopher avait changé, comme sa personnalité.

Soudain, il posa sa palette.

– Pourquoi êtes-vous venue, Lauren?

– Lloyd voulait...

– Non! fit-il en lui jetant un regard glacial. Dites-moi la vérité : pourquoi êtes-vous ici?

– Je voulais vous revoir... On a tout laissé en plan la dernière fois et...

– Ce n'est pas vrai. En tout cas, pas après Noël! Je vous avais fait parvenir...

– Je regrette, je n'ai pas répondu... parce que... il y avait tant d'autres choses... le bouleversement de ma vie...

– Le fait de ne pas répondre était une réponse suffisante, n'est-ce pas?

Il parlait durement et les mots qu'il prononçait fendaient l'air comme une épée. Il avait l'air furieux et gagna le bar où il se versa un verre de scotch.

– Vous voulez boire quelque chose?

Elle hocha la tête et tendit la main : leurs doigts se touchèrent. Elle s'éloigna aussitôt, comme si elle avait été brûlée par une flamme. Elle but doucement et reprit courage. Il y avait une lueur d'espoir au fond de l'alcool! Elle allait avoir la force de lui dire... qu'elle se livrait corps et âme à lui. Mais pendant qu'en esprit elle formulait les mots qu'elle se préparait à prononcer, Christopher regagna son chevalet et se versa un deuxième verre. Le cœur de Lauren se serra.

– Ecoutez, dit-elle, j'ai été stupide de venir...

Elle gagna la porte et ajouta :

– Ne vous dérangez pas... Je connais le chemin...

– Lauren, murmura-t-il d'un ton las, tout cela était bien inutile... triste et inutile...

Son visage ne portait aucune trace d'amertume. Seule y brillait l'intelligente sensibilité qui avait fait le charme de leurs rapports. Elle eût préféré qu'il lui dise des choses odieuses auxquelles elle aurait répondu durement. Mais il la rejetait doucement, sans un mot méchant, sans un reproche. C'était plus terrible encore.

Elle posait déjà la main sur la poignée de la porte quand il lui saisit le bras.

– Ne partez pas!

Leurs yeux s'interrogèrent un moment. Il lui effleura les lèvres puis le front et les yeux d'une bouche légère comme un papillon, et la passion resurgit instantanément.

Sans un mot, elle remonta l'escalier avec lui.

Sa chambre à coucher, joliment meublée à l'ancienne, se trouvait au deuxième étage. Un grand lit faisait face à la cheminée et, pour la première fois depuis Los Angeles, ils s'y retrouvèrent nus dans les bras l'un de l'autre, incertains au début et timides.

Mais bientôt le brasier se ralluma et engloutit toute retenue.

Allongé près d'elle, il parcourut son corps d'une bouche ardente tandis qu'elle faisait glisser ses mains le long de son dos musclé, heureuse de le retrouver ferme et puissant sous ses caresses. Elle voulut lui dire qu'elle l'aimait mais craignit que les mots ne brisent l'enchantement du moment. Mieux valait lui faire comprendre son amour avec son corps.

Et voilà que, soudain, ce fut lui qui se mit à murmurer des mots d'amour. Il répétait son nom comme une musique et caressait ses seins avec tendresse. Elle retrouvait enfin son Christopher.

– Vous m'avez manqué, vous savez!

Il ne répondit rien et cela la désespéra. Plongeant son regard dans le sien, elle y vit une tristesse qui l'effraya.

– Qu'est-ce qui ne va pas? demanda-t-il tout à coup.

La question était si imprévue que Lauren se raidit. Il ne la quittait pas des yeux et semblait lire en elle.

– Rien... rien... Tenez-moi fort...

Elle crut l'entendre répondre :

– Oui, mais pour combien de temps?

Et c'est alors qu'il l'entraîna dans un tourbillon de passion.

Le téléphone les réveilla brusquement.

– Mon Dieu, fit Christopher en se précipitant sur l'appareil. Désolé, dit-il à son interlocuteur, j'ai été... euh... retardé.

Lauren avait l'impression qu'il la regardait comme s'il se demandait ce qu'elle faisait dans son lit.

– Bien, bien, ajouta-t-il, je serai là dans vingt minutes.

Il raccrocha et s'habilla rapidement. Lauren se sentait déjà oubliée. Un froid qui n'avait rien à voir avec la température de la pièce la saisit.

Idiote, se dit-elle. Elle sortit du lit, ramassa ses vêtements et se prépara à partir.

Elle s'en voulait d'avoir cru un instant que son amour pouvait faire revenir le pendule en arrière.

Il la regardait avec une expression de regret.

– Je sais, dit-elle, vous avez manqué un rendez-vous à cause de moi. Ne vous inquiétez pas... Il faut y aller vite...

– C'est stupide de ma part...

Elle comprit qu'il essayait de trouver des mots d'excuse. Il avait l'air perdu et malheureux.

– Sauvez-vous, Christopher. Au revoir...

– Lauren... je...

– Non, Chris, ne vous tracassez pas. Tout change dans la vie, les situations, les personnes... Cela n'a jamais empêché le monde de tourner.

Elle se dirigea vers la porte.

– Lauren, c'est vraiment idiot... Je sais ce que vous devez penser... Mais j'avais ce rendez-vous cet après-midi et il faut que j'y aille maintenant. Je vous en prie, restez et attendez-moi.

– Non, Chris. Ce que nous nous sommes dit à mon arrivée résume parfaitement la situation.

Elle se détourna, descendit l'escalier. Il la rattrapa à la porte.

– Arrêtez! Je sais que les choses sont différentes aujourd'hui. Moi-même, j'ai changé... J'ai rencontré le succès, mais cela ne veut pas dire que nous devons nous séparer!

– Je ne veux pas attendre dans un coin que vous inventiez un moyen de me caser dans votre vie, dit-elle d'un ton désespéré.

– J'avais pensé ne jamais vous revoir, Lauren, et je n'imaginais pas vous retrouver un jour dans mes bras. Je me suis fait une existence solitaire aussi supportable que possible et, maintenant, je dois la vivre.

Lauren se sentait malheureuse, désemparée. Que pouvait-elle lui offrir? Sa vie? Cela ne lui suffirait plus... Il n'y avait pas de place pour elle...

– Eh bien, dit-elle avec un long soupir, faites ce que vous avez à faire. Aller voir les gens qui vous attendent, allez...

– Lauren, attendez...

Mais la porte claqua derrière elle, coupant court à toute discussion. Elle descendit les marches à la hâte et, cette fois-ci, il ne courut pas après elle.

Quand elle regagna la maison de Lloyd, elle donna des instructions pour que personne ne la dérange.

Elle était sur son lit, les yeux au plafond, lorsqu'une des femmes de chambre frappa discrètement à sa porte.

– Un message urgent de M. Lloyd.

Lauren enfila sa robe de chambre, ouvrit la porte. On lui remit une grande enveloppe brune qui contenait l'édition du matin du *New York Times*. Pourquoi Lloyd le lui faisait-il parvenir?

Elle se recoucha pour lire les gros titres. Rien de spécial sur la première page. Mais, lorsqu'elle passa à la suivante, elle ne put réprimer un cri. Là, sous ses yeux médusés, s'étalaient trois photos : une de Holly Adler, une autre de Fredrich Wilm et la troisième, de Riff McIntyre. Le cœur de la jeune femme se mit à battre à coups redoublés. L'article disait que Wilm avait enfin réussi à mettre la main sur son ex-maîtresse et lui avait cassé deux côtes, la mâchoire, le nez et deux dents.

Tout de même, pensa Lauren, il est allé un peu loin!

Mais elle changea d'avis lorsqu'elle lut que Holly l'avait attaqué la première, avec une barre de fer. Après avoir tout fait pour lui échapper, il avait été contraint d'user de la manière forte pour éviter le pire. La fille avait fini par reconnaître son imposture dans l'affaire des lithos mais révélé en même temps que Riff McIntyre était de mèche avec elle. Le sénateur n'avait fait aucun commentaire et sa famille avait préféré le séquestrer dans la propriété de Cleveland. Une enquête était en cours.

L'article se terminait par une déclaration sur l'honnêteté de Lauren Taylor, victime pure et héroïque des machinations de ces deux escrocs.

– Eh bien... ça alors! articula Lauren.

Et elle se mit à danser et à chanter à tue-tête :

– Ça alors! Ça alors! Ça alors!

Les jours suivants, elle regretta presque sa réhabilitation dans le monde des arts. D'anciens collègues lui téléphonaient sans cesse pour chercher à se faire pardonner leur défection antérieure.

Il y eut beaucoup de commérages... où le nom de Christopher était souvent mentionné. Bien entendu, on considérait sa liaison avec Lauren comme terminée depuis longtemps.

Deux jours avant l'inauguration du Centre culturel décoré par le peintre, Lauren téléphona à Lloyd.

– Je veux m'en aller d'ici. Je n'entends parler que de Christopher Reynolds, le peintre extraordinaire, l'artiste incomparable... Cela me met à la torture. Je ne souhaite qu'une seule chose : rentrer chez moi au plus vite et me consacrer entièrement à la réalisation de votre beau musée.

Et c'est ce qu'elle aurait fait si, le lendemain, Buffy ne l'avait appelée personnellement pour lui demander un service. En effet, pour l'anniversaire de son mari, elle voulait lui offrir une toile de Max Ernst qu'il admirait depuis longtemps et pria Lauren de se charger de l'achat. Celle-ci ne pouvait évidemment pas lui refuser cette faveur.

Elle annula donc son billet d'avion et commença les démarches nécessaires pour obtenir le tableau. La tâche se révéla plus difficile qu'elle ne le croyait. Ce n'est que le jour de l'inauguration du Centre qu'elle put enfin régler l'affaire.

Aussitôt, elle appela l'agence de voyages à qui elle demanda s'il y avait un vol de nuit pour les Etats-Unis. Il n'en existait pas. Elle eut l'impression que le monde lui en voulait.

Une heure plus tard, Phillip Lloyd l'appela.

– Ah! s'exclama-t-il, je suis tellement soulagé de vous savoir encore à Londres.

– Ne le soyez pas trop! Je fais tout ce que je peux pour m'en aller.

– Ecoutez-moi, Lauren. Je sais que vous n'avez pas envie de vous rendre à l'inauguration du Centre, mais il faut absolument que vous m'y représentiez. Buffy estime qu'il serait très maladroit qu'aucun membre de notre futur musée n'assiste à cet événement. Et je suis d'accord avec elle.

– Phillip, vous avez été très bon avec moi et pour rien au monde je ne voudrais vous faire de la peine. Mais, vraiment, je ne peux pas aller là-bas ce soir. Je ne veux pas voir Christopher.

– Evidemment, cela concerne votre vie privée et je ne me permettrai pas de faire pression sur vous.

– Merci, Phillip. Croyez que j'apprécie votre compréhension. A très bientôt.

Pour éviter de broyer du noir durant cette soirée qui s'annonçait longue et solitaire, elle décida d'aller se promener.

Une pluie fine tombait sur la ville dont l'atmosphère grise et triste convenait parfaitement à son état d'esprit. Elle erra quelque temps sans but.

Lorsqu'elle rentra, le téléphone sonnait. Elle ne décrocha pas. Deux minutes plus tard, la sonnerie résonnait de nouveau. L'interlocuteur insistait... C'était peut-être important. Elle saisit le récepteur.

– Allô! Oui?

– Lauren?

– Oh! Phillip! Il est plus de dix heures du soir ici! Que se passe-t-il?

– Excusez-moi! Je ne me serais pas permis de vous déranger s'il ne s'agissait pas d'une affaire extraordinaire... comme il n'en arrive qu'une fois dans une vie! Je ne voudrais surtout pas la laisser échapper, ni que les gens du *Getty Museum* mettent la main dessus. Quelle chance que vous ne soyez pas allée, comme tout le monde, à l'inauguration du Centre! Figurez-vous...

Il lui donna par le menu les renseignements qu'il tenait d'un de ses informateurs : on avait trouvé un Botticelli dans le grenier d'une vieille dame qui venait de mourir. Les héritiers – gens très simples – ne sachant trop quoi en faire, avaient pris contact avec l'informateur de Lloyd qui, à son tour, avait mis ce dernier au courant. Le coup était sensationnel. Mais il fallait agir vite.

– Tout de suite? demanda Lauren. Ne puis-je attendre demain matin? Je me lèverai aux aurores, j'y serai à six heures!

– Non, non, insista Lloyd. Il faut que ce soit fait immédiatement. Qui sait ce qui arrivera d'ici demain! Je ne souhaite pas courir le risque de voir cette merveille m'échapper.

– Il fait très mauvais dehors! Il est tard et je ne me sens pas d'humeur à discuter. Mais, comme je vous dois beaucoup, cher Phillip, je vais faire un effort.

– Oh! Merci, Lauren. Cela me touche infiniment.

Elle tint parole mais perdit un quart d'heure à attendre un taxi qui mit une bonne vingtaine de minutes pour traverser la ville et se rendre à l'adresse indiquée par Lloyd. Tout était sombre, comme dans un roman policier. Les rues tortueuses, les quartiers déserts la confirmèrent dans son impression de série noire.

– Attendez-moi, dit-elle au chauffeur lorsqu'il la déposa.

Elle faillit ajouter : « Et si je ne suis pas revenue d'ici une heure, appelez la police! »

Le bâtiment devant lequel elle se trouvait avait l'air d'une sorte d'atelier d'artiste. Le Botticelli était censé se trouver entre les mains du correspondant de Lloyd, un peintre aussi peu talentueux qu'avare. Au dire de Phillip – qui se trompait rarement sur la personnalité des gens –, cet homme était capable de livrer tous les renseignements concernant le chef-d'œuvre au groupe du *Getty Museum* si lui-même ne se manifestait pas à temps, carnet de chèques à l'appui.

Lauren ne se sentait vraiment pas d'attaque pour discuter un tel marché. Elle n'avait qu'une seule envie : pleurer un bon coup dans son oreiller. Quel soulagement ce serait! Néanmoins, par reconnaissance pour Phillip, elle se redressa et se dirigea vers l'unique petite lumière qui brillait à l'une des fenêtres du bâtiment. C'était le seul signe qui lui permît de croire que quelqu'un l'attendait. La porte d'entrée étant ouverte, elle gravit l'escalier de bois jusqu'au deuxième étage et arriva sur le seuil d'une immense pièce mal éclairée dont l'atmosphère ressemblait plutôt à celle d'un entrepôt. On n'y distinguait guère autre chose que trois toiles posées de dos sur des chevalets et éclairées par des projecteurs.

– Il y a quelqu'un? demanda-t-elle sur le pas de la porte.

Sa voix traversa l'espace vide comme un coup de feu dans le désert. Aucune réponse! Elle gagna le halo de lumière et se trouva face aux toiles : il n'y avait pas de Botticelli! Les trois peintures étaient une série de portraits de femme dont la maîtrise était fantastique et le choix des coloris, lumineux et original. Le même visage féminin avait été reproduit, d'abord avec une expression énigmatique, puis réservée et fière et, enfin, vulnérable et franche.

– Que faut-il penser de cet artiste? questionna une voix qui venait de l'ombre derrière elle.

– Quel talent!

Son regard restait fixé sur les toiles. Depuis le jour où elle avait vu les premières peintures abstraites de Christopher dans le bureau de Lloyd, jamais elle n'avait été aussi émue.

– Il a eu la chance d'avoir un modèle admirable! fit la voix qui se rapprochait.

– C'est un maître!

– En effet.

L'homme était maintenant si près d'elle qu'elle sentait son souffle dans son cou.

– C'est vous qui avez fait de moi ce que je suis! ajouta-t-il.

Lauren se retourna. Ses yeux voilés de larmes contemplèrent la longue silhouette familière, en smoking noir et chemise blanche. Christopher venait d'arriver; il était encore trempé par la pluie.

– Vous avez eu un succès fou, ce soir, murmura-t-il en regardant les toiles. Mais ces trois œuvres-là n'étaient pas à vendre.

– Elles auraient pourtant pu rapporter une fortune!

– Qu'importe!... J'aimerais faire encore votre portrait, chuchota-t-il.

– Christopher...

– Je veux vous avoir pour modèle le reste de ma vie.

– Oh! Christopher! Je...

Mais il ne la laissa pas parler. Montrant du doigt les trois portraits, il avoua :

– Voilà ce qui m'a empêché de devenir fou comme ce pauvre Van Gogh. Si je ne pouvais vous avoir à mes côtés en chair et en os, au moins ma mémoire était-elle fidèle. J'ai essayé de vous faire partager ma vie puisque l'espoir de vous tenir entre mes bras s'était envolé. Ainsi, je continuais à vous aimer!

Lauren sortit du rayon lumineux et se réfugia dans l'ombre. De là, il lui était plus facile de dire ce qu'elle souhaitait qu'il sût.

– Christopher... j'ai découvert qu'il y avait des choses importantes ici-bas dont il est impossible de nier la réalité : l'argent, le pouvoir, la politique...

Tout en parlant, elle revoyait en esprit les gratte-ciel de Century City, et Maxwell Kain, et Riff McIntyre, et l'enseigne de sa galerie où le nom de Lauren Taylor brillait en lettres d'or.

– Il y a les gens qu'on connaît et les choses que l'on sait, ajouta-t-elle. Il y a les lieux où l'on va et ceux où l'on a été. Il y a les bilans écrits à l'encre rouge et noire. Il y a le cristal et le fer-blanc...

Sa voix était douce et précise. Elle revint vers la lumière et termina joyeusement :

– Toutes ces réalités ne sont que foutaises...

S'avançant enfin jusqu'à l'endroit où se tenait Christopher, elle s'écria :

– La seule, la vraie réalité, c'est l'amour... et je t'aime, oh! comme je t'aime, Christopher!

Elle se précipita dans ses bras et il la fit virevolter dans les airs.

Ni l'un ni l'autre n'éprouvaient le besoin de parler. L'essentiel était de s'être retrouvés et de vivre désormais ensemble pour l'éternité.

5

NORA ROBERTS

Aujourd'hui et toujours

Elle était la séduction même

Jordan Taylor, l'écrivain célèbre, cherche une collaboratrice spécialisée en anthropologie pour l'aider à mettre au point son nouveau livre. Un ami lui parle de Victoria Wyatt. Elle est extrêmement compétente, bardée de diplômes, expérimentée...

Jordan n'a qu'un regret : ce puits de science, il l'imagine déjà, portera lunettes et chignon, talons plats, jupes à mi-mollet !

Grande est sa surprise quand il voit apparaître, un soir, une sorte de boute-en-train, une jeune femme pétillante d'esprit, ravissante - boucles dorées, yeux verts irrésistibles.

Que Jordan le veuille ou non, c'est le début d'une longue aventure.

7

STEPHANIE JAMES

Etrange magicien

Peut-elle avoir confiance en lui ?

Que fait Pamela Shannon
à la terrasse du Naja, ce bar
d'aventuriers perdu sur une petite
île du Pacifique écrasée de soleil ?
Qui attend-elle ?

Mark Lassiter, le propriétaire des
lieux, est intrigué, attiré malgré lui
par le mystère de cette femme si
différente des touristes habituelles.

Peu à peu, elle lui confie son histoire -
une histoire incroyable.
Alors cet homme que la vie a blessé
éprouve soudain le désir de la
protéger. Un étrange lien s'établit
entre eux, fait de complicité et
de passion.

Savent-ils que c'est le destin qui vient
de leur faire signe ?

ANNA JAMES

Les couleurs de l'amour

Ce voyage ressemblait à un défi

Jennifer Courtland avait toujours observé une règle très stricte : elle ne mêlait jamais sa vie privée à sa vie professionnelle. Peut-être était-ce là la raison de sa réussite.

C'est pourquoi elle avait l'esprit parfaitement tranquille en arrivant à Paris, avec mission de découvrir la cachette du célèbre Jake Marshall, un artiste secret, retiré quelque part en France - loup solitaire impossible à approcher.

Jennifer ne doute pas de son succès. Sûre d'elle, charmeuse, séductrice, elle saura le prendre au piège.

A moins que le piège ne se referme sur elle...

Ce mois-ci

Duo Série Romance

171 **Rêver l'amour** CATHRYN LADAME
172 **Sur les ailes du destin** LAURA EDEN
173 **Le bonheur commence à Dombeya** A. HAMPSON
174 **Une plume blanche** MARY CARROLL
175 **Eaux dormantes** ARLENE JAMES
176 **Idylle grecque** JADE WALTERS

Duo Série Désir

27 **Souviens-toi que je t'aime** JUDITH BAKER
28 **Un long, long voyage** MARY LYNN BAXTER
29 **Tendre méprise** DOROTHY VERNON
30 **Brûlant comme la neige** ANGEL MILAN
31 **Le poids du passé** DIXIE BROWNING
32 **Plus fort que la raison** PAMELA WALLACE

Le mois prochain

Duo Série Romance

177 **Pour l'amour d'Eric** CAROLYN THORNTON
178 **Un refuge au bout du monde** MIA MAXAM
179 **Par un jour d'orage** DIXIE BROWNING
180 **Chassé-croisé** JANET DAILEY
181 **L'envers du décor** JOAN SMITH
182 **La lumière de l'aube** ANNE HAMPSON

Duo Série Désir

33 **Odyssée dans les îles** VANESSA VICTOR
34 **Amis, amants** DIANA PALMER
35 **Secrets en mer Egée** LORRAINE VALLEY
36 **L'homme du lac** CHERYL DURANT
37 **Ton nom sur le sable** STEPHANIE JAMES
38 **Les feux de la passion** PAULA FULFORD

Achevé d'imprimer sur les presses de l'imprimerie Brodard et Taupin
7, Bd Romain-Rolland, Montrouge. Usine de La Flèche,
le 24 février 1984. ISBN : 2 - 277 - 83006 - 2
1899-5 Dépôt légal février 1984. Imprimé en France

Collections Duo
27, rue Cassette 75006 Paris
diffusion France et étranger : Flammarion